SOLUTIONS **ÉCOLOGIQUES**
en HORTICULTURE

pour le contrôle des ravageurs,
des mauvaises herbes
et des maladies

SOLUTIONS **ÉCOLOGIQUES** en HORTICULTURE

pour le contrôle des ravageurs, des mauvaises herbes et des maladies

Par Édith Smeesters
Anthony Daniel et Amina Djotni

97-B, Montée des Bouleaux, Saint-Constant, Qc, Canada J5A 1A9,
Tél. : (450) 638-3338 **Fax** : (450) 638-4338
Internet : http://www.broquet.qc.ca
Courriel : info@broquet.qc.ca

Catalogage avant publication de Bibliothèque et Archives Canada

Smeesters, Édith

Solutions écologiques en horticulture pour le contrôle des ravageurs, des mauvaises herbes et des maladies.

Comprend des réf. bibliogr. et un index.

ISBN 2-89000-679-4

1. Jardinage biologique. 2. Insectes nuisibles, Lutte biologique contre les. 3. Mauvaises herbes, Lutte biologique contre les. 4. Ennemis des cultures, Lutte biologique contre les. I. Daniel, Anthony. II. Djotni, Amina. III. Titre.

SB453.5.S63 2005   635.9'1584   C2005-940130-3

POUR L'AIDE À LA RÉALISATION DE SON PROGRAMME ÉDITORIAL, L'ÉDITEUR REMERCIE :
Le Gouvernement du Canada par l'entremise du Programme d'Aide au Développement de l'Industrie de l'Édition (PADIÉ) ; La Société de Développement des Entreprises Culturelles (SODEC) ; L'Association pour l'Exportation du Livre Canadien (AELC).
Le Gouvernement du Québec - Programme de crédit d'impôt pour l'édition de livres - Gestion SODEC.

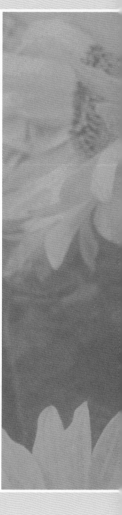

Crédits photos page couverture :

Bernard Drouin, MAPAQ (Larve de coccinelle)
Édith Smeesters (Pelouse, pissenlit)
Louise Tanguay (Abeille)

Montage graphique : Brigit Levesque

Éditeur : Antoine Broquet

Pour chaque livre vendu, 1 $ sera remis à la Coalition pour les Alternatives aux Pesticides. ✿CAP

Copyright © Ottawa 2005
Broquet Inc.
Dépôt légal — Bibliothèque nationale du Québec
2ᵉ trimestre 2005

ISBN 2-89000-679-4

Imprimé au Québec

TABLE DES MATIÈRES

INTRODUCTION

CLAUDE TREMBLAY

CE LIVRE A ÉTÉ RÉALISÉ essentiellement d'après les réponses aux questions posées à la « ligne verte » de la Coalition pour les Alternatives aux Pesticides (CAP), un service conseil offert par téléphone aux membres de la CAP et aux citoyens de plusieurs municipalités partenaires. Ce sont donc des réponses aux problèmes rencontrés par les propriétaires, sur leur pelouse ou avec leurs arbres et arbustes. Ces questions surviennent généralement lorsque les gens sont aux prises avec une infestation ou une plante qui dépérit.

Il ne s'agit pas d'un manuel exhaustif sur les ravageurs des plantes ornementales. D'autres avant nous, ont déjà fait ce travail de façon plus scientifique*. Nous avons focalisé essentiellement sur les questions les plus communes de tout ordre et les solutions les plus écologiques. Par ailleurs de nombreux organismes ravageurs ne sont pas vraiment « dangereux » même s'ils grignotent un peu vos plantes ou s'ils logent dans votre

---

* Brisson, J.D. et Côté, I. Plantes ornementales en santé. Spécialités Terre à terre, 1992, 100 pages.

Apprenons à accepter la vraie nature avec des yeux d'enfants.

pelouse. Nous avons d'ailleurs décrit de nombreux organismes bénéfiques. Les dégâts importants surviennent la plupart du temps lorsque les plantes sont affaiblies par un stress quelconque : sécheresse, blessure, piétinement, fertilisation déséquilibrée ou excessive, etc.

Pour régler le problème à la source, il faut commencer par faire de la prévention pour éviter d'avoir à utiliser des pesticides, même à faible impact. Par ailleurs, il faut apprendre à accepter la vraie nature dans toute sa diversité et contrôler notre peur, souvent injustifiée, envers des organismes minuscules. De nombreux problèmes sont reliés à une mauvaise conception de l'aménagement en fonction du milieu, un mauvais choix de plantes et des attentes irréalistes, comme des

ÉDITH SMEESTERS

La biodiversité attire les insectes bénéfiques.

pelouses composées d'une seule espèce. Cela n'existe pas dans la nature et aussi longtemps que nous exigerons des tapis impeccables devant chez nous, il faudra se battre sans relâche contre les « envahisseurs ».

Dans un milieu sauvage, comme une prairie ou une forêt naturelle, il n'y a pratiquement jamais d'infestations parce qu'un équilibre s'est établi entre les différents organismes qui y vivent. Cet équilibre constitue un écosystème dans lequel chaque espèce occupe une place déterminée sans qu'aucune ne puisse dominer les autres. Bien qu'un écosystème soit constamment en changement, c'est l'étendue de sa biodiversité qui déterminera sa stabilité dans le temps. C'est de cette bio-diversité qu'un bon jardinier saura tirer profit en favorisant les insectes bénéfiques qui gardent les ravageurs hors d'état de nuire. De plus, les espèces présentes naturellement dans un écosystème sont les mieux adaptées à ces conditions environnementales. Par exemple, essayer de maintenir une plante dans un habitat qui n'est pas le sien nécessite beaucoup plus d'interventions que d'entretenir les plantes qui vivent naturellement dans cet habitat. Aussi, le milieu se modifie sans cesse et des espèces peuvent facilement disparaître si elles perdent leur habitat, car elles ne font alors plus le poids face aux compétiteurs mieux adaptés. À titre d'exemple, un arbre en grandissant fait de l'ombre aux plantes qui l'environnent. Celles-ci survivront uniquement si elles peuvent résister à un régime plus limité en lumière, sinon elles céderont leur place à d'autres plantes qui s'y sont mieux adaptées. La nature est en changement perpétuel et il en est de même de votre terrain, même s'il a été bien planifié au départ.

Ce manuel s'efforce donc de répondre à toutes les questions courantes sur les pesticides, les méthodes culturales, les engrais, les insectes, les mauvaises herbes, etc. Vous y trouverez sans doute plusieurs termes plus ou moins complexes : ils sont définis dans le glossaire à la fin du livre. Pour une meilleure compréhension, certains chapitres sont présentés dans un ordre logique (pesticides, arguments), d'autres par ordre alphabétique (amis et ennemis).

Nous souhaitons améliorer ce livre au cours des années avec vos commentaires et de nouvelles questions !

LES
PESTICIDES

QU'EST-CE QU'UN PESTICIDE?

Les pesticides sont des produits conçus pour détruire ou contrôler des organismes jugés nuisibles ou indésirables. Ils comprennent des insecticides, des herbicides, des fongicides, des acaricides, etc.

À partir d'avril 2006, il sera interdit d'utiliser ce produit sur les pelouses au Québec.

Chaque pesticide vendu commercialement (par ex. le Killex) est composé d'un ingrédient actif (par ex. le 2,4-D) et d'ingrédients dits inertes (solvant, émulsifiant, etc.). Ces derniers sont des matières ajoutées à l'ingrédient actif pour en améliorer les qualités physiques, la manipulation ou la performance. Cependant, ils sont parfois plus toxiques que l'ingrédient actif! Il y a plus de 5500 produits commerciaux contenant un ou plusieurs des quelques 600 ingrédients actifs homologués au Canada. Leur toxicité est très variable d'un produit à l'autre, mais ils ont tous été conçus pour tuer, sinon ils ne seraient pas efficaces.

L'homologation des pesticides relève d'un organisme fédéral appelé : Agence de Réglementation de la Lutte Antiparasitaire (ARLA). L'utilisation des pesticides est réglementée par les gouvernements provinciaux et municipaux.

L'ARLA ne fait pas elle-même les tests sur les pesticides avant de les homologuer, mais se base sur les données fournies par l'industrie. Seuls les ingrédients actifs doivent être testés et quelques ingrédients inertes considérés comme dangereux. Chaque produit est testé individuellement et non en combinaison avec d'autres. Or, nous sommes souvent exposés à plusieurs pesticides à la fois, ce qui veut dire que nous ne connaissons pas vraiment les effets de ce cocktail de produits chimiques auxquels nous sommes exposés, de façon souvent involontaire, et que l'homologation est loin d'être un gage de sécurité.

La loi sur les pesticides définit un pesticide comme suit :

« toute substance, matière ou micro-organisme destiné à contrôler, détruire, amoindrir, attirer ou repousser, directement ou indirectement, un organisme nuisible, nocif ou gênant pour l'être humain, la faune, la végétation, les récoltes ou les autres biens, ou destiné à servir de régulateur de croissance de la végétation, à l'exclusion d'un vaccin ou d'un médicament, sauf s'il est topique, pour un usage externe sur les animaux ».

LES PESTICIDES SONT-ILS VRAIMENT DANGEREUX ?

Le danger des pesticides fait actuellement l'unanimité, tant auprès des experts de santé publique, que des instances gouvernementales ou des professionnels responsables. On s'inquiète particulièrement de la santé des enfants, qui sont davantage exposés en raison de leur comportement à risque (ils mettent leurs doigts en bouche, rampent à terre, etc.). Par ailleurs, les enfants respirent plus vite et la surface de peau exposée par rapport à leur poids corporel est proportionnellement plus importante que celle d'un adulte.

Les enfants sont exposés davantage aux pesticides que les adultes

Les pesticides peuvent être absorbés par la bouche, par la peau ou par les voies respiratoires. L'intoxication aiguë, ou à court terme, survient quelques minutes ou quelques heures après l'absorption d'un pesticide. Les symptômes peuvent être très variables en fonction de la dose absorbée et de la nature du produit. On peut avoir des maux de tête, des étourdissements, des vomissements, des irritations cutanées, etc. Mais dans les cas graves il peut y avoir des problèmes de vision, des convulsions, des difficultés respiratoires et même un décès.

ÉDITH SMEESTERS

Ces cas d'intoxication aiguë aux pesticides sont probablement sous-évalués, même si le centre anti-poison du Québec recense quelque 1500 cas par année, car la plupart des gens et même des médecins ne font pas la relation entre un malaise et le contact avec un pesticide. Ce n'est cependant que la pointe de l'iceberg car l'exposition répétée à de petites doses de pesticides peut donner lieu à une intoxication chronique. La maladie peut survenir des années plus tard et il est encore très difficile d'établir un lien de cause à effet, mais la recherche progresse. De nombreuses études récentes démontrent cependant des associations entre l'exposition aux pesticides et des problèmes de santé. Plusieurs types de cancers seraient associés à l'usage courant de pesticides, comme le cancer du système lymphatique et des tissus mous, le cancer du cerveau et du tube digestif. Les pesticides seraient responsables de certaines anomalies congénitales, d'avortements, de fausses couches et de problèmes de développement et de comportement. Il y a aussi un lien de plus en plus évident entre l'utilisation de pesticides et l'affaiblissement du système

De plus en plus de personnes deviennent hypersensibles aux produits chimiques.

immunitaire et la perturbation du système endocrinien. De plus en plus de personnes souffrent d'asthme et d'allergies et on commence à établir des liens avec l'omniprésence de polluants dans notre environnement. Il en est de même avec la fatigue chronique et l'hypersensibilité aux produits chimiques. Le collège des médecins de famille de l'Ontario a effectué une excellente revue de la littérature en 2003 sur les dangers des pesticides*.

ÉDITH SMEESTERS

Nos enfants sont très sensibles aux pesticides, même à ceux appliqués par les voisins, car nous partageons le même air !

Quels que soient les doutes qui puissent encore subsister, il est inacceptable d'exposer autrui à des produits aussi dangereux pour le seul plaisir d'avoir un tapis vert, sans fleurs sauvages, devant chez soi ou par peur de certains insectes, généralement bien inoffensifs pour notre santé. Malheureusement, les pesticides sont présents presque partout actuellement et nous en avons tous dans l'organisme, à des concentrations plus ou moins élevées, car il y en a dans l'eau potable, dans notre alimentation et dans l'air que nous respirons. Le Centre pour la prévention et le

* http://www.ocfp.on.ca/English/OCFP/Communications/CurrentIssues/
  Pesticides/default.asp?s=1

ÉDITH SMEESTERS

La certification écologique des compagnies d'entretien d'espaces verts s'en vient pour le printemps 2005.

contrôle des maladies (CDC) aux États Unis, a testé 2644 personnes pour leur « charge corporelle » en pesticides. Les résultats* révèlent que tous les sujets sont contaminés, principalement les enfants qui ont les niveaux les plus élevés en pesticides.

Nous pouvons agir afin de diminuer notre exposition aux pesticides en choisissant des compagnies certifiées (Horti-Eco) pour l'entretien écologique de nos espaces verts et en mangeant des aliments certifiés biologiques.

* http://www.panna.org/campaigns/docsTrespass/chemicalTrespass2004.dv.html

LE CODE DE GESTION DES PESTICIDES

Le Code de gestion des pesticides* est un règlement provincial qui est entré en vigueur le 3 avril 2003 au Québec. Ce nouveau Code introduit des normes pour encadrer l'entreposage, l'usage et la vente des pesticides, de façon à réduire notre exposition à ces produits.

En ce qui concerne le milieu urbain, le Code interdit dorénavant d'appliquer 22 pesticides (ingrédients actifs mentionnés dans l'annexe I du Code) sur les surfaces gazonnées des terrains publics, parapublics et municipaux et sur les terrains où se déroulent des activités destinées aux enfants de moins de 14 ans. De plus, dans les centres de la petite enfance (CPE) et les écoles, il est interdit d'appliquer un pesticide autre qu'un biopesticide ou un pesticide à faible impact (liste dans l'annexe II du Code).

Depuis avril 2004, il est interdit de vendre un pesticide dans un emballage regroupant plus d'un contenant de pesticides, sauf si l'étiquette de cet emballage indique la présence de contenants multiples, ou un pesticide mélangé à un fertilisant. Par exemple il est interdit de vendre un ensemble pour fertiliser la pelouse en 4 traitements s'il contient des pesticides.

En avril 2005, il sera obligatoire de placer la plupart des pesticides hors de portée du public dans les magasins où ils sont vendus.

À partir d'avril 2006, il sera interdit d'appliquer les pesticides de l'annexe I du Code sur les surfaces gazonnées des terrains privés et commerciaux et ces mêmes produits ne pourront pas être vendus pour application sur les surfaces gazonnées.

Ces deux produits contiennent du carbaryl, qui est sur la liste noire au Québec. (C'est le carbaryl qui a causé le désastre de Bhopal.)

PHOTOS : ÉDITH SMEESTERS

---

* http://www.menv.gouv.qc.ca/pesticides/permis/code-gestion/code-enbref.htm

Ce rosier *(Rosa rugosa)* est très rustique et résistant aux maladies.

COMMENT ÉVITER LES PESTICIDES ?

Il est parfaitement possible de pratiquer une horticulture éco-logique, mais il ne s'agit pas de changer simplement les produits chimiques pour des produits « bio ». Il faut faire de la prévention pour éviter le recours à des pesticides, c'est-à-dire : choisir des plantes résistantes et en fonction du milieu, améliorer le sol, faire un entretien adéquat et favoriser la biodiversité.

• BIEN CHOISIR LES PLANTES

Pour un jardin en santé, il faut commencer par sélectionner des plantes rustiques et résistantes aux parasites et aux maladies. Dans un aménagement existant, il faudra peut-être remplacer certains sujets, car plusieurs plantes ornementales sont très dépendantes des pesticides (ex : certains rosiers, pommiers).

Il faut aussi choisir vos plantes en fonction des conditions du milieu. Il faut donc tenir compte de :

LA ZONE DE RUSTICITÉ

Dans quelle zone êtes-vous situé ? Ces zones ont été établies en fonction de la température moyenne dans chaque région. Au Québec, des chiffres de 1 à 5 indiquent des zones de plus en plus tempérées, ce qui permet de cultiver un plus grand nombre de plantes. Montréal se trouve en zone 5, Sherbrooke en zone 4, etc.

L'HUMIDITÉ DU SOL

Le sol est-il sec, frais ou humide ? Vérifiez le drainage, surtout en sol argileux. Effectuez les corrections requises pour drainer l'excès d'eau ou choisissez des plantes qui tolèrent d'avoir les pieds humides.

LA LUMINOSITÉ

Le terrain est-il ensoleillé ou ombragé ? Le pâturin du Kentucky, qui compose la majorité de nos pelouses, exige au moins 5 à 6 h de soleil par jour.

Une pelouse de pâturin exige au moins 5 à 6 heures de lumière intense par jour et des soins intensifs.

PHOTOS : ÉDITH SMEESTERS

Une sonde permet d'extraire une carotte de terre du sol et d'en examiner la composition.

LA QUALITÉ DU SOL

Avez-vous fait un diagnostic de votre sol ? Quel en est le pH ? Est-il sablonneux, limoneux ou argileux ? Y a-t-il de l'humus dans le sol ? Contient-il les éléments nutritifs essentiels à la croissance ? (N, P, K, Ca, Mg). Des analyses sont offertes dans les jardineries.

Le compost est ce qu'il y a de meilleur pour améliorer le sol.

AMÉLIORER LE SOL

Même s'il vaut mieux choisir des plantes parfaitement adaptées au milieu, il est souvent souhaitable d'apporter des amendements au sol, afin de procurer les meilleures conditions possibles aux plantes et de pouvoir cultiver un plus grand choix d'espèces. Le compost améliore tous les types de sols.

ENTRETENIR CONVENABLEMENT

Chaque plante a des exigences particulières. Dans la nature, seuls les plus forts et les mieux adaptés survivent à la compétition et aux conditions climatiques. Dans un terrain privé, on peut favoriser certaines plantes plutôt que d'autres en faisant du sarclage, en mettant du paillis, en posant un tuteur, en coupant la pelouse à la bonne hauteur (8 cm ou 3 po), etc.

Le paillis facilite beaucoup l'entretien des parterres.

FAVORISER LA BIODIVERSITÉ

La biodiversité, c'est la clé de l'équilibre naturel d'un écosystème ! Les écosystèmes les plus stables sont habituellement ceux qui présentent une grande diversité, tant au niveau de la flore que de la faune. Les relations entre les espèces favorisent la mise en place de mécanismes de contrôle et de régulation des populations pour chaque espèce. Dans un écosystème en équilibre, la population d'une seule espèce ne peut donc jamais dépasser un seuil qui la rendrait envahissante. Cette dernière situation est généralement produite par une source de déséquilibre, comme l'absence de prédateurs ou l'abondance de nourriture. Par exemple, le doryphore de la pomme de terre n'était pas un ravageur à l'origine.

ÉDITH SMEESTERS

Plus il y a de diversité dans votre terrain, plus vous attirez de prédateurs naturels.

Ses populations sauvages vivaient en équilibre, limitées par leurs prédateurs et la disponibilité de leur nourriture, une plante du Mexique proche parente de la pomme de terre. Or, la culture intensive de la pomme de terre (monoculture) a créé un déséquilibre et favorisé les doryphores qui ont littéralement envahi toute l'Amérique pour devenir un ravageur notoire. Il faut donc éviter de planter trop de plantes de la même espèce au même endroit : haies de cèdres, monoculture de pâturin du Kentucky, etc.

ÉDITH SMEESTERS

Gadelier complètement ravagé par des chenilles.

QUELS SONT LES TYPES DE PROBLÈMES RENCONTRÉS CHEZ LES PLANTES?

LES PROBLÈMES RENCONTRÉS PEUVENT ÊTRE DE PLUSIEURS ORDRES :

- **Problèmes de ravageurs :** fourmis, punaises, perce-oreilles, etc.

- **Problèmes de « mauvaises herbes » compétitrices :** pissenlits, lierre terrestre, etc.

- **Problèmes de maladies :** poudre blanche, taches noires ou brunes sur les feuilles.

- **Problèmes physiologiques :** causés par la sécheresse, le manque de lumière, l'excès d'engrais ou d'humidité.

- **Un mélange de plusieurs types de problèmes :** par exemple, on a démontré que les infestations de punaises velues étaient favorisées par un temps chaud et un excès d'azote. Les pissenlits s'installent dès qu'il y a un espace vacant, souvent créé par un ravageur, la sécheresse ou autre stress. L'humidité favorise plusieurs maladies et les plantes malades peuvent attirer des insectes, etc.

COMMENT FAIRE UN BON DIAGNOSTIC?

Parfois, il est facile d'identifier la cause d'un problème lorsqu'on voit un ravageur en pleine action. Mais ce n'est pas toujours évident : une tache brune dans la pelouse peut être causée par une maladie, un insecte ou un chien !

- **Observez attentivement la plante,** avec une loupe au besoin : la plante est-elle entièrement affectée ou seulement en partie ? Laquelle ? Regardez sous les feuilles, au niveau du sol ou dans le sol. Combien y a-t-il de ravageurs au m² ?

- **Prenez des échantillons** d'insectes observés ou des parties de feuilles atteintes. Mettez-les dans un sac de plastique scellé et apportez-les dans une jardinerie ou à un expert-conseil du Jardin botanique ou de l'Insectarium de Montréal.

- **Observez le sol :** est-il compacté, trop humide ou trop sec ? Est-il est sablonneux ou glaiseux ? Au besoin, faites faire une analyse de sol dans une jardinerie.

Y A-T-IL DES ALTERNATIVES AUX PESTICIDES CHIMIQUES ?

Il existe des pesticides à faible impact, comme le savon insecticide, et des biopesticides comme le Bt, mais l'horticulture écologique ne devrait pas se résumer à l'application de produits, même biologiques. Il ne faut pas oublier que même les pesticides à faible impact sont des poisons. Ils tuent des organismes bénéfiques, comme des prédateurs, et causent des déséquilibres qui peuvent engendrer de nouveaux problèmes dans l'écosystème que constitue votre terrain. Il faut les utiliser avec parcimonie, de façon localisée et uniquement lorsque c'est vraiment nécessaire. La prévention est toujours la meilleure stratégie (voir page 18 : *Comment éviter les pesticides*). De plus, il existe des moyens mécaniques pour se débarrasser des ravageurs : taille, sarclage, paillis, traitement à la chaleur, eau bouillante, etc.

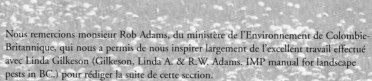

Nous remercions monsieur Rob Adams, du ministère de l'Environnement de Colombie-Britannique, qui nous a permis de nous inspirer largement de l'excellent travail effectué avec Linda Gilkeson (Gilkeson, Linda A. & R.W. Adams. IMP manual for landscape pests in BC.) pour rédiger la suite de cette section.

MOYENS MÉCANIQUES

Taille, coupe

La coupe et l'élimination d'une branche malade ou infestée (ex : chenilles à tente) est beaucoup plus simple que l'utilisation de pesticides. Pour les arbres fruitiers, une bonne taille peut réduire les maladies causées par un manque d'aération.

Une débroussailleuse ou « coupe-bordures » (faucillon) permet de nettoyer rapidement une bordure de trottoir envahie par les plantes. Cet outil sert souvent à faucher les herbes hautes autour des arbres, mais il cause de grands dommages à l'écorce, ce qui diminue la longévité, autant do jeunes arbres que des arbres matures, en créant des portes d'entrées pour les maladies.

Le « coupe-bordures » est très utilisé pour éliminer les plantes indésirables, mais c'est un outil très dangereux pour les arbres.

Arrachage

L'arrachage manuel est toujours un des moyens les plus efficaces pour contrôler les plantes indésirables, mais plusieurs outils ont été conçus pour nous aider : binette, sarcloir, griffe, etc. Pour l'arrachage des pissenlits, un des outils les plus efficaces est sans doute le « Weed hound » qui permet d'arracher, sans se baisser, une bonne partie de la racine lorsque le sol est encore bien souple au printemps. (Voyez *Hound dog* dans les Ressources.)

Le « Weed hound » permet d'arracher plusieurs centaines de pissenlits à l'heure.

Traitement à la chaleur

• Torche au gaz propane : appareil de soudure ou équipement disponible dans le commerce (voyez *Lee Valley* dans les Ressources)

Attention, il y a risque d'incendie par temps très sec et un danger de brûlures avec la torche. Le traitement est plus efficace lorsque les plantes sont petites et par temps chaud. Cela ne détruit que la partie aérienne, il faut donc répéter 2-3 fois par an.

• Applicateurs de vapeur bouillante : équipement manuel ou motorisé qui libère de l'eau à 100 ou 200 °C. Disponible dans le commerce (voyez *Aquacide* dans les Ressources) pour utilisation sur de grandes superficies : surfaces pavées, bordures des trottoirs, le long des clôtures, autour des bornes fontaines, pour faire des lignes sur les terrains de jeux, etc.

Ces mauvaises herbes dans les pavés peuvent être facilement éliminées avec une torche au propane, de l'eau bouillante, du savon herbicide ou de l'acide acétique.

Paillis

Le paillis peut-être constitué d'une couverture de matière organique (feuilles, paille, écorce de cèdre, branches déchiquetées, etc.) ou de divers matériaux synthétiques (géotextiles) et est utilisé surtout dans les plates-bandes ou le potager.

Placez des journaux sous le paillis pour augmenter son effet inhibiteur de mauvaises herbes.

Le paillis naturel :

• Prévient l'apparition des plantes indésirables.

• Garde l'humidité.

• Ajoute de la matière organique au sol.

• Modère les écarts de température.

• Garde les légumes propres (potager : tomates, courges).

On peut mettre 10 cm d'épaisseur de paillis autour des arbres et arbustes et environ 5 cm autour des fleurs et légumes. Posez le paillis tout de suite après la plantation printanière ou même à l'automne précédent (écartez le paillis pour planter au printemps suivant). Pour transformer une pelouse clairsemée en parterre : couvrez d'abord avec du papier Kraft ou avec des journaux et recouvrez de 10 cm de bois raméal fragmenté (BRF).

Les matériaux riches en carbone (copeaux de bois) ne doivent pas être enfouis afin d'éviter de mobiliser tout l'azote du sol. Mais généralement, il n'y a pas de problème lorsqu'ils sont appliqués en surface, surtout sur un sol riche en micro-organismes.

ÉDITH SMEESTERS

Bois raméal fragmenté

CONTRÔLE BIOLOGIQUE

La lutte biologique consiste à utiliser des organismes vivants (ex : prédateurs) pour contrôler les ravageurs. C'est une méthode utilisée depuis longtemps dans les serres. Il y a plus d'une vingtaine d'espèces d'insectes bénéfiques et d'acariens qui sont vendues à cet usage à l'intérieur. À l'extérieur, leur utilisation est plus limitée à cause de la dispersion des insectes. Dans ce dernier cas, il est plus recommandé de protéger ou d'attirer les organismes bénéfiques indigènes par des plantations adéquates.

Nématodes entomopathogènes

Les nématodes entomopathogènes sont de petits vers microscopiques qui parasitent des insectes pour compléter leur développement. Certaines espèces, comme *Steinernema carpocapsae* et *Heterorhabditis bacteriophora,* sont des exemples d'espèces disponibles commercialement pour contrôler des insectes qui causent des dommages aux pelouses comme les pyrales et les vers blancs (hannetons).

Pour des résultats optimaux, les nématodes devraient être utilisés surtout de façon préventive en combinaison avec de bonnes pratiques culturales. Ce sont des organismes relativement fragiles, il est donc important de bien suivre les instructions du fournisseur. Les nématodes ont besoin d'humidité pour survivre et se déplacer. Il est donc recommandé de bien arroser la pelouse en profondeur, 48 h avant l'application, et de garder le sol très humide pendant au moins 3 jours après, pour rendre le traitement plus efficace. Certaines préparations commer-

Heterorhabditis bacteriophora

Steinernema carpocapsae

PHOTOS : DALILA BENMOUSSA

ciales de nématodes demandent qu'on les con-
serve au réfrigérateur afin de les garder dans un
stade de dormance jusqu'à leur utilisation. La
température du sol doit être au-dessus de 15 °C
au moment de leur utilisation, afin qu'ils soient
bien actifs pour parasiter les ravageurs. Une
aération du sol peut être importante si le sol est
trop compacté. Il faut aussi les protéger de la
lumière vive en les gardant dans leur emballage
d'origine et appliquer les traitements au coucher
du soleil idéalement.

Certains entrepreneurs prétendent que les
nématodes sont inefficaces. Il est vrai que les nématodes commercialisés actuellement ne permettent pas le contrôle total d'une infestation,
mais aucun pesticide ne peut prétendre un
contrôle à 100%, surtout à long terme. De plus,
une pelouse qui pousse dans des conditions
idéales est beaucoup plus résistante aux insectes
et ne nécessite pas un contrôle absolu. Plus important encore, une infestation d'insectes est
souvent le résultat de mauvaises pratiques culturales. Un traitement de pesticides est donc
non seulement toxique pour l'humain et l'environnement, mais c'est aussi un mauvais inves-
tissement puisqu'il agira à court terme et uniquement sur les symptômes, sans changer les
causes du problème.

Il est important aussi de souligner que des re-
cherches sont en cours afin de commercialiser
d'autres espèces de nématodes plus agressives.
Ce n'est qu'une question de temps pour que
d'autres espèces de nématodes plus efficaces
deviennent disponibles.

ÉDITH SMEESTERS

**Les nématodes entomopatho-
gènes sont disponibles chez des
fournisseurs spécialisés (voyez
Ressources).**

Coccinelles

Plusieurs espèces sont vendues pour contrôler les pucerons et les acariens. Les insectes adultes sont cependant peu utilisés à l'extérieur car ils ont tendance à s'envoler au loin s'ils ne trouvent rien à manger. Il est donc préférable d'utiliser des larves qui resteront plus longtemps en place. De récentes recherches ont permis de développer de nouvelles générations de coccinelles incapables de voler. Elles seront probablement disponibles sous peu au Québec.

ÉDITH SMEESTERS

Attirez les coccinelles sur votre terrain en plantant des fleurs comme les pivoines, les soucis, les capucines, etc.

Acariens prédateurs

Plusieurs espèces sont utilisées pour contrôler d'autres espèces d'acariens, surtout dans les vergers et les serres. Ils ont également été utilisés avec succès sur des arbres et arbustes décoratifs. Ils sont disponibles commercialement, livrés sur du feuillage, dans un contenant avec de la vermiculite. Suivez les instructions du fournisseur.

NATURAL INSECT CONTROL

Phytoseiulus persimilis.

Bacillus thuringiensis

Le Bt est un biopesticide qui contient une bactérie (*Bacillus thuringiensis*) qu'on retrouve naturellement dans l'environnement. Il y a des centaines de souches de Bt mais seules quelques-unes sont utilisées commercialement comme biopesticides. Parmi elles, la souche Bt kurstaki (Btk) est utilisée pour lutter contre les chenilles. La souche Bt *israelensis* (Bti) sert à contrôler les larves de mouches noires et de moustiques. Quant

ÉDITH SMEESTERS

au Bt *tenebrionis* (Btt), il contrôle les larves de certains coléoptères (comme les doryphores ou *bibites à patates*). Ce dernier n'est cependant pas homologué pour usage domestique.

Mode d'action : le Bt produit des spores et des cristaux de protéines qui tuent les insectes qui l'ingèrent. C'est pourquoi il est important de l'utiliser lorsque les insectes ciblés se nourrissent activement. Il ne doit pas être appliqué si on annonce de la pluie dans les 24 heures, car les spores peuvent être lessivées (éliminées par la pluie) avant que les larves n'aient l'occasion de les manger.

Les insectes arrêtent de se nourrir très rapidement après l'ingestion de Bt (2-4 heures après l'application), même s'ils peuvent survivre encore quelques jours. L'action de ces bactéries est très spécifique aux espèces ciblées. Ces bactéries ne sont pas toxiques pour les humains, pour les animaux, ni même pour d'autres insectes non ciblés comme les abeilles par exemple. L'impact environnemental du Bt est minime puisque les bactéries ne peuvent survivre que quelques jours dans la nature.

Formulation : le Bt est vendu en concentré liquide, en poudre mouillable ou en granules.

Utilisation : le Btk est utilisé pour contrôler toute une diversité de chenilles qui détruisent des plantes ornementales ou légumières : piéride du chou, tordeuses, spongieuses, chenilles à tente, etc. Il est plus efficace lorsque les chenilles sont jeunes et petites et lorsque celles-ci se nourrissent activement.

Chenille du persil
(*Papilio polyxenes*)

Le Bti est utilisé pour contrôler les larves de moustiques dans les étangs. Il est disponible pour usage domestique, mais il est bien évident qu'un traitement ne sera efficace que si tout le voisinage effectue le même contrôle sur plusieurs kilomètres à la ronde. Les moustiques ne connaissent pas les clôtures!

Le Btt est actuellement utilisé en agriculture pour contrôler le doryphore de la pomme de terre. Il est utilisé aussi de façon expérimentale pour contrôler le coléoptère qui transmet la maladie hollandaise de l'orme.

Mycoherbicide

Des chercheurs de l'Université McGill ont découvert une souche de champignon (*Sclerotinia minor*) qui tue les pissenlits et autres plantes à larges feuilles dans la pelouse, sans endommager les graminées. Dans des conditions propices, le contrôle des pissenlits est plus efficace et deux fois plus rapide qu'avec l'herbicide 2,4 D, le mecoprop ou le dicamba. La formulation commerciale est prête, mais l'homologation peut encore prendre plusieurs années. Néanmoins, les herbicides sélectifs favorisent des monocultures qui ne sont pas nécessairement souhaitables d'un point de vue écologique.

ÉDITH SMEESTERS

INSECTICIDES À FAIBLE IMPACT

Lorsque toutes les méthodes de prévention ont échoué et que les pesticides semblent être la seule solution, le premier choix devrait être orienté vers des produits qui ont le moins d'impact sur la santé humaine et l'environnement. Ils auront une ou plusieurs des caractéristiques suivantes :

- **Ils présentent les plus faibles risques,** à court et à long terme, pour la santé humaine.
- **Ils sont très spécifiques,** c'est-à-dire qu'ils n'affectent pas d'autres organismes non ciblés.
- **Ils présentent les plus faibles risques pour l'environnement** pendant leur manipulation et leur élimination : ils se dégradent assez vite dans l'environnement, ils n'ont pas de toxicité résiduelle et ne présentent pas de risque de contamination élevé.

Acide Borique

Le bore est un élément chimique inorganique. Le borax, qui contient du bore, est extrait dans des carrières ou des mines où il se trouve naturellement. L'acide borique et les borates sont fabriqués à partir du borax.

Formulation : l'acide borique est disponible en poudre, en appât ou en liquide prêt à utiliser.

Mode d'action : l'acide borique agit comme un poison du système digestif. On le retrouve notamment dans les trappes et appâts à fourmis. À une certaine concentration de borax (moins de 10 %), les ouvrières ne meurent pas tout de suite au contact du produit, elles vont l'apporter à la reine, ce qui éliminera la colonie en entier. Beaucoup de compagnies, produisant des pièges à fourmis, ont justement basé leur publicité sur ce

ÉDITH SMEESTERS

Le savon insecticide au borax est efficace contre les fourmis.

mode d'action. Ce type de traitement est très efficace comme moyen de prévention. L'idéal est d'installer les pièges là où on a remarqué la présence de fourmis l'année précédente. Il faut compter de deux semaines à un mois pour voir disparaître les colonies déjà bien installées. Il faut répéter le traitement à tous les trois mois. L'acide borique sous forme de poudre ou de liquide demeure efficace aussi longtemps qu'il est présent.

Utilisation : l'acide borique est surtout utilisé contre les fourmis, sur le nid ou le trajet des colonies. Bien que sa toxicité soit faible pour les humains et les animaux, il faut éviter que les enfants ou les animaux soient en contact avec le produit. Il faut aussi garder à l'esprit qu'il n'est pas souhaitable d'éliminer toutes les fourmis du jardin car cela causerait un déséquilibre qui pourrait amener d'autres problèmes. Les fourmis sont d'habiles prédatrices de nombreux insectes ravageurs des jardins et elles mangent, entre autres, les œufs des hannetons (vers blancs).

Huiles de dormance

Des huiles minérales, émulsifiées dans l'eau, sont utilisées depuis plus de 200 ans sur les arbres fruitiers pour contrôler les ravageurs en hibernation. Les produits actuels sont plus raffinés (99 % en huile minérale) et certains peuvent être utilisés durant la saison de croissance.

Formulation : les huiles sont vendues sous forme liquide pour être émulsifiées avec de l'eau.

Mode d'action : Les huiles agissent par contact, en obstruant les organes respiratoires des ravageurs ou en détruisant la couche cireuse qui les protège. Elles agissent sur un grand nombre d'espèces (large spectre) mais elles n'ont pas d'effets à long terme car elles se dégradent rapidement dans l'environnement.

Utilisation : Les huiles de dormance sont utilisées pour contrôler les stades dormants des pucerons, de certaines chenilles, des cochenilles, des limaces, d'acariens et de nombreux autres ravageurs. Elles sont utilisées seulement lorsque les feuilles sont tombées et avant que les nouvelles pousses ne sortent au printemps. Elles ne doivent pas être appliquées lorsqu'on annonce du gel ou lorsqu'un arbre est mouillé. Il faut que l'huile ait le temps de sécher avant la prochaine pluie ou que la rosée se forme. Les huiles de dormance sont souvent mélangées avec de la chaux soufrée pour contrôler plusieurs insectes et certaines maladies.

De nouvelles huiles peuvent être utilisées durant la saison de croissance. À quelques exceptions près, elles peuvent être utilisées sur les conifères également. Les huiles de dormance sont toxiques pour certains végétaux, comme l'épinette bleue, les érables et les fougères. C'est pourquoi il faut toujours lire les étiquettes. Ce type d'huile ne devrait pas être utilisé au-dessus de 30 °C, ni en cas de sécheresse ou sur une plante malade ou blessée.

Les huiles de dormance ne sont pas sélectives et tuent un grand nombre d'insectes prédateurs. Cependant, elles sont très peu toxiques pour les mammifères, les oiseaux et les poissons.

EDITH SMEESTERS

L'huile de dormance n'est pas toxique pour les humains mais tue un grand nombre d'organismes utiles en même temps que les ravageurs.

Savon insecticide

Les savons vendus pour contrôler les insectes sont faits de sels biodégradables et d'acides gras, tout comme les savons domestiques.

Mode d'action : les savons agissent par contact sur la plupart des insectes et des acariens, ainsi que sur leurs œufs. Ce sont des insecticides à large spectre, mais avec peu d'effets résiduels.

Utilisation : les savons sont surtout efficaces contre les insectes à corps mou, comme les pucerons, les cochenilles, les limaces, les acariens, etc. Les savons sont homologués pour être utilisés à l'intérieur ou à l'extérieur, sur des plantes ornementales et/ou comestibles.

Il faut bien asperger toute la plante puisque le savon agit par contact, et il faut parfois répéter l'application. Il faut cependant faire attention avec certaines plantes pour lesquelles le savon peut être toxique comme les cœurs saignants, les poinsettias et quelques autres. Lisez l'étiquette pour plus d'informations sur ces exceptions. Une précaution à adopter est de tester le produit sur une petite partie de la plante à traiter pour vérifier sa réaction.

Les savons ne sont pas toxiques pour les mamifères, les poissons et les oiseaux, mais ils vont détruire des insectes bénéfiques en même temps que les ravageurs.

ÉDITH SMEESTERS

Le savon insecticide : un produit efficace contre un grand nombre de ravageurs.

Pyréthrines

Les pyréthrines sont les ingrédients actifs extraits de la fleur de pyrèthre (*Chrysanthemum cinerariaefolium*).

Formulation : les pyréthrines sont vendues en solutions prêtes à l'emploi ou en liquide concentré et en poudre. Elles font aussi partie de la formulation d'autres insecticides et fongicides.

Mode d'action : les pyréthrines sont des poisons du système nerveux et contrôlent un grand nombre d'insectes rampants ou volants, sans effets résiduels. Les pyréthrines agissent par contact en provoquant la paralysie des insectes. Elles sont réputées pour leur effet rapide et pour faire sortir les insectes de leur cachette. Plusieurs insectes peuvent être résistants à la pyréthrine et c'est pourquoi on ajoute souvent un autre produit à effet synergique, comme le butoxyde de piperonyl. Ce dernier est cependant plus toxique que la pyréthrine pour les humains. Cherchez les produits qui ne contiennent pas de butoxyde de piperonyl.

Utilisation : les pyréthrines sont utilisées pour contrôler les pucerons, les chenilles, les sauterelles, les acariens, les charançons et quelques autres sur des plantes ornementales et/ou comestibles. On les utilise aussi pour combattre les fourmis, les perce-oreilles, les mouches et les guêpes.

Les pyréthrines sont modérément toxiques pour les humains. Lors du traitement, il faut éviter le contact avec la peau et les yeux. Certaines personnes sensibles vont faire des réactions

ÉDITH SMEESTERS

Le Trounce est un savon insecticide additionné de pyréthrine.

ÉDITH SMEESTERS

Le End-all est un savon additionné de pyréthrine et d'huile de canola (huile de colza).

allergiques suite à un contact cutané ou respiratoire. Les pyréthrines sont aussi faiblement toxiques pour les mammifères et les oiseaux, mais elles sont très toxiques pour les poissons. De plus, elles ne sont pas sélectives et élimineront les insectes bénéfiques en même temps que les ravageurs, ce qui pourrait causer des déséquilibres dans l'écosystème du jardin.

L'avantage des insecticides botaniques (qui proviennent des plantes) est que ces produits ont une durée de vie très courte dans l'environnement. En effet, ils se dégradent relativement vite lorsqu'ils sont exposés aux rayons ultraviolets du soleil. Il faut donc éviter d'effectuer les traitements en plein soleil pour obtenir une efficacité optimale. La roténone est aussi un insecticide botanique homologué, mais sa toxicité aiguë est tellement élevée que nous ne la recommandons pas.

Des recherches se poursuivent pour extraire d'autres matières actives à partir de plantes. Certaines ont des effets insecticides, d'autres herbicides. Ces composés sont extraits de plantes très communes comme le thym, la menthe, l'ail, le soya, les arachides, les armoises, etc. Plusieurs sont déjà disponibles aux USA (comme l'azadirachtine, vendu sous le nom de Neem, extrait du Margousier) et devraient sans doute être bientôt homologués au Canada. On peut aussi fabriquer des « recettes maison » à base de plantes. Plusieurs de ces recettes sont décrites dans des livres de jardinage*, mais il faut rester prudent car certaines plantes, comme la nicotine, sont très toxiques.

Mise en garde !

Pyréthrinoïdes et pyréthrines

Les **pyréthrinoïdes** sont des composés synthétiques qui ressemblent chimiquement aux pyréthrines. Ils sont plus toxiques que les pyréthrines naturelles et plus stables : ils peuvent persister plus d'une semaine dans l'environnement. Ce ne sont donc pas des pesticides à faible impact.

Le neem est vendu au Québec comme lustrant à feuilles.

---

* Grenier, R. et Pedneault, A. *Potions magiques pour un jardin en santé.* Spécialités Terre à terre, 2001, 50 pages.

Terre diatomée

La terre diatomée est constituée du squelette silicieux d'algues microscopiques : les diatomées. On en trouve de grandes accumulations dans certains dépôts marins fossiles. Le squelette des diatomées est très ornementé et, à l'échelle microscopique, ces dépôts fossiles sont coupants comme du verre.

Formulation : la terre diatomée se vend en poudre, souvent mélangée à un appât.

Mode d'action : la terre diatomée agit par contact : les aiguilles silicieuses blessent les insectes rampants qui se déshydratent et meurent. La terre diatomée perd de son efficacité lorsqu'elle est mouillée, son utilisation à l'extérieur est donc très limitée.

Utilisation : très utile pour créer des barrières contre les insectes rampants dans la maison, comme les fourmis ou les coquerelles. Saupoudrez dans les fissures, devant les fenêtres ou entre les murs. Calfeutrez les points d'entrée pour prévenir l'arrivée d'autres intrus.

La terre diatomée n'est pas toxique pour les humains et les mammifères, mais la poudre est très irritante pour les voies respiratoires lors de l'application. Portez un masque lorsque vous utilisez ce produit. Son utilisation occasionnelle ou sa présence dans les fissures ou dans les murs est sans danger.

ÉDITH SMEESTERS

La terre diatomée est très efficace contre les insectes rampants dans la maison.

HERBICIDES À FAIBLE IMPACT

Acides gras

Des composés d'acides gras naturels sont utilisés pour produire des savons. À certaines concentrations, ces savons peuvent détruire la végétation.

Formulation : les savons herbicides sont vendus en solutions prêtes à l'emploi et en concentrés.

Mode d'action : les savons herbicides détruisent les plantes en faisant fondre la couche cireuse qui protège le feuillage de la déshydratation. Ils agissent rapidement : environ 2 heures. Ils ne détruisent cependant pas les racines des plantes vivaces bien établies. Il n'y a pas d'effet herbicide dans le sol, ni d'effet résiduel.

Utilisation : appliquez au printemps ou à l'automne sur des plants de moins de 13 cm de haut. Les acides gras sont plus efficaces sur les jeunes pousses des plantes annuelles qui n'ont pas de réserves au niveau des racines et qui ont donc moins de chance de repousser. En conséquence, des applications répétées sont souvent nécessaires pour détruire des plantes établies et vivaces.

Ce produit est homologué pour utilisation extérieure, sur des allées, autour des arbres ou des clôtures, ou avant de planter du gazon, des fleurs ou des légumes.

N'appliquez pas le produit si on annonce de la pluie dans les 2 heures qui suivent et faites attention aux plantes ornementales. Ne plantez pas dans un sol traité aux acides gras avant 3 jours.

ÉDITH SMEESTERS

Le Topgun : un herbicide total, mais à faible impact : il est fabriqué à base de savon.

Les acides gras sont très peu toxiques pour les humains, les animaux domestiques et la faune sauvage.

Acide acétique

Formulation: l'acide acétique est vendu en solution liquide prête à l'emploi.

Mode d'action: l'acide acétique agit de la même façon que les acides gras.

Utilisation: appliquez sur les jeunes plantes et de façon répétée sur des plants plus gros. Pas d'effets sur la racine.

Ce produit est homologué pour utilisation extérieure, dans les allées pavées, le gravier ou de façon ponctuelle dans la pelouse.

Ecoclear: acide acétique (vinaigre concentré).

Gluten de maïs

Un nouveau produit est maintenant disponible pour diminuer les plantes indésirables dans les pelouses: il s'agit du gluten de maïs qui est homologué comme pesticide depuis le printemps 2004. C'est un sous-produit de la transformation du maïs.

Formulation: le gluten de maïs se présente sous forme granulaire ou en poudre, il est généralement vendu avec un mélange d'engrais.

Mode d'action: en réalité, ce n'est pas un herbicide, mais un inhibiteur de germination dont l'efficacité dure de 6 à 7 semaines. Il agit en empêchant la croissance des premières racines. Il n'a aucun effet sur les plantes bien établies.

Le gluten de maïs est efficace sur les pelouses bien établies, mais favorise les monocultures.

Comme c'est aussi un engrais (10 % d'azote), on peut l'utiliser comme tel. *Attention :* le gluten de maïs inhibe aussi la germination des semences de gazon et, comme celles-ci peuvent prendre un mois avant de germe, il ne faut pas en appliquer si on a semé de la pelouse depuis moins de 4 semaines.

Utilisation : seulement pour les pelouses bien établies, son utilisation régulière permet de réduire de 50 à 60 % des plantes indésirables dans une pelouse dès la première année et davantage les années suivantes.

ÉDITH SMEESTERS

FONGICIDES
À FAIBLE IMPACT

Soufre

Des produits contenant du soufre sont vendus depuis longtemps comme fongicides.

Formulation : le soufre est disponible en format prêt à l'emploi, en concentré liquide ou en poudre mouillable.

Mode d'action : les particules de soufre se combinent avec les spores de champignons et empêchent leur germination. Il n'y a pas d'effets résiduels et il faut donc l'appliquer souvent pour protéger le feuillage des maladies.

Le soufre : un fongicide à faible impact mais qui peut acidifier le sol à la longue.

Utilisation : on utilise le soufre pour prévenir le nodule noir, la tavelure, le mildiou, la rouille et autres maladies fongiques. Il contrôle aussi les acariens. Il est utilisé sur les rosiers, les plantes ornementales sensibles, les arbres fruitiers et les légumes.

Il faut lire les étiquettes car certaines plantes ne tolèrent pas le soufre. Il ne devrait pas être utilisé au-dessus de 24 °C et au moins 30 jours après une application d'huile de dormance. Il est très peu toxique pour les mammifères et non toxique pour les poissons et les oiseaux. Le soufre n'est pas dangereux pour les abeilles, mais il est toxique pour les acariens prédateurs.

Chaux soufrée

La chaux soufrée est un composé calcique de soufre qui possède des propriétés fongicides aussi bien qu'insecticides et acaricides.

Formulation : la chaux soufrée est vendue en concentré liquide à mélanger dans l'eau. Elle peut aussi être mélangée avec des huiles minérales pour application au stade dormant seulement.

Mode d'action : c'est un fongicide à large spectre. Il contrôle aussi les insectes et les acariens.

Utilisation : la chaux soufrée est utilisée pour prévenir le nodule noir, le mildiou, la rouille, la tavelure et autres maladies fongiques. On l'utilise aussi pour contrôler les acariens, les pucerons, les cochenilles et autres insectes. En application au stade dormant, la chaux soufrée détruit les œufs de nombreux insectes qui hibernent sur les arbres. La chaux soufrée peut être phytotoxique pour certaines espèces comme la viorne, certains arbres fruitiers et noyers.

Des formulations plus diluées peuvent être utilisées durant la saison de croissance afin de réduire les effets indésirables potentiels sur le feuillage des plantes ligneuses. Comme la plupart des plantes affichent une certaine sensibilité à ce produit, il vaut mieux limiter son usage aux plantes tolérantes (indiquées sur l'étiquette du produit). Durant la saison de croissance il ne faut pas l'utiliser au-dessus de 26 °C, ni pendant un mois suivant l'application d'huile de dormance.

La chaux soufrée est modérément toxique pour les mammifères et non toxique pour les poissons, les oiseaux et les abeilles. Elle est toxique pour les acariens.

ÉDITH SMEESTERS

Chaux soufrée : les fongicides à faible impact peuvent prévenir les maladies mais non les éliminer.

MOLLUSCICIDE À FAIBLE IMPACT

Phosphate de fer

Un composé minéral naturel, le phosphate de fer, a été homologué au Canada pour contrôler les limaces. Il est aussi efficace que les appâts à base de métaldéhyde, mais beaucoup moins toxique pour des organismes non ciblés.

Formulation : le phosphate de fer est incorporé dans un appât granulaire qui doit être éparpillé autour des plants affectés.

Mode d'action : les limaces arrêtent de se nourrir immédiatement après avoir ingéré le phosphate de fer et elles se déshydratent.

Utilisation : le phosphate de fer contrôle les limaces et les escargots. Contrairement au métaldéhyde, le phosphate de fer n'est pas toxique pour les chiens ou autres animaux et cela ne les attire pas. Il n'est pas toxique pour les oiseaux, et les poissons et ne cause pas de dommages à la faune du sol, comme les vers de terre et autres organismes bénéfiques.

ÉDITH SMEESTERS

Le phosphate de fer est beaucoup moins toxique que les autres appâts anti-limaces.

QUESTIONS D'ORDRE GÉNÉRAL

AMENDEMENTS ET ENGRAIS

C'EST QUOI LA DIFFÉRENCE ?

Les amendements et les engrais sont des matières fertilisantes. Cependant, les amendements sont des substances qui améliorent l'ensemble des propriétés du sol, alors que les engrais servent uniquement à compléter les besoins des plantes en minéraux.

On peut amender le sol avec des matières organiques telles que du compost, de la mousse de tourbe, de la terre noire, des feuilles mortes, etc. Mais aussi avec de l'argile pour améliorer les sols trop sableux, du sable pour alléger les sols argileux ou du calcium pour aider à former le complexe argilo-humique.

COMPAGNIES D'ENTRETIEN DE PELOUSE

COMMENT CHOISIR UN BON ENTREPRENEUR POUR MA PELOUSE?

Un bon entrepreneur en espaces verts devrait faire un diagnostic de votre terrain avant toute chose : vérifier la qualité du sol (texture, pH, etc.), l'ensoleillement, le drainage et noter les problèmes éventuellement observés. Il peut vous suggérer de remplacer la pelouse par d'autres types de plantes dans certains endroits. Par exemple : la pelouse n'a pas sa place à l'ombre dense, ni sur des talus escarpés.

Au niveau des services offerts, il devrait vous proposer des méthodes culturales préventives pour obtenir une pelouse dense et vigoureuse, comme l'aération le terreautage et un sursemis éventuel. Il devrait vous recommander de couper votre pelouse à 8 cm (3 po) et de recycler le gazon coupé directement sur la pelouse.

EDITH SMEESTERS

L'aération d'une pelouse compactée, suivie d'une application de compost, peut faire des miracles.

Il ne devrait utiliser que des engrais naturels à 100 % et non pas à «base organique» (qui contiennent seulement 15 % de produits naturels). Finalement, il ne devrait utiliser aucun pesticide ou seulement de façon temporaire et exceptionnelle. Dans ce cas, il choisira des pesticides à faible impact (savon insecticide, borax, pyréthrine, etc.), des biopesticides (Bt) ou des prédateurs naturels (ex : nématodes) et recommandera des moyens préventifs pour l'avenir. Il ne devrait offrir aucune application systématique ou préventive de pesticides !

Les entrepreneurs doivent s'adapter aux nouveaux règlements, mais ils s'efforcent aussi de répondre aux exigences de leur clientèle. Ne demandez donc pas l'impossible ! Une pelouse sans aucune plante sauvage n'est pas très réaliste, ni souhaitable dans un environnement sain et la biodiversité… ça commence dans votre pelouse.

Attention ! Plusieurs compagnies prétendent offrir un service écologique ou naturel, mais utilisent encore des herbicides tout en camouflant leur odeur avec des produits masquants. Si votre pelouse ne contient aucune mauvaise herbe ou que celles-ci sont curieusement tordues, il y a de fortes chances pour que des herbicides sélectifs aient été utilisés. Plusieurs compagnies ont été prises en défaut en 2004 (analyses à l'appui) par des municipalités qui interdisent déjà l'utilisation des pesticides.

SIMON LALIBERTÉ

Si les pissenlits se tordent de douleur après une application de produits sur votre pelouse, soyez sûrs que ce n'est pas un produit naturel qui a été utilisé.

EST-CE QUE LA RÉFÉRENCE À LA LUTTE INTÉGRÉE EST UNE BONNE GARANTIE DE QUALITÉ ?

La lutte intégrée est une méthode décisionnelle qui a recours à toutes les techniques reconnues pour détruire les populations d'organismes nuisibles de façon efficace et économique, tout en respectant l'environnement. Elle privilégie avant tout la prévention et l'utilisation des méthodes les plus respectueuses de l'environnement. C'est donc une approche qui est excellente lorsqu'elle est bien appliquée. Malheureusement, plusieurs professionnels se servent de la lutte intégrée comme d'un outil de marketing sans en respecter les principes : par exemple les facteurs économiques l'emportent souvent sur les considérations environnementales et le seuil d'intervention est très subjectif. Par ailleurs, la prévention et les pesticides à faible impact sont souvent laissés au second plan au profit de l'utilisation de pesticides plus expéditifs.

Un bon professionnel en horticulture est comme un bon médecin qui va, bien sûr, soulager les symptômes de ses patients lorsqu'ils sont mal en point, mais qui va surtout leur donner des conseils pour ne plus tomber malade : faire de l'exercice, manger sainement, diminuer le stress, etc. Le grand avantage en horticulture, par rapport à la médecine, c'est qu'on peut remplacer les plantes qui sont malades tout le temps !

ÉDITH SMEESTERS

Remplacez les plantes qui sont tout le temps malades par des espèces résistantes.

La certification des services en horticulture écologique s'en vient pour le printemps 2005 !

EST-CE QU'IL EXISTE DES ENTREPRENEURS CERTIFIÉS « Écolos » ?

La certification biologique est un processus qui est déjà utilisé en agriculture pour certifier des terres et des produits cultivés sans pesticides, ni engrais chimiques. Actuellement, un processus de certification des services en horticulture écologique vient de voir le jour afin de reconnaître les entrepreneurs qui utilisent des produits et des méthodes vraiment écologiques approuvés par un groupe d'experts. À partir de 2005, le logo Horti-Eco permettra d'identifier les compagnies qui seront certifiées. C'est à suivre !

COMPOST

QUEL EST LE MEILLEUR COMPOST ?

Le compost est un amendement et non pas un engrais. Il ne faut donc pas rechercher seulement la richesse en éléments nutritifs (N-P-K) mais surtout la teneur en matière organique qui est essentielle à la vitalité du sol. Le compost est un produit extraordinaire pour améliorer tous les types de sol, qu'ils soient sablonneux ou argileux. Souvent, le compost commercial est mélangé avec de la terre, il faut donc vérifier le pourcentage de matière organique indiqué sur le sac.

Les composts commerciaux sont généralement faits à partir de fumiers de bovin, de mouton ou de poulet, parfois additionnés de crevettes et mélangés avec de la tourbe, de la paille, des copeaux de bois, etc. Certains sont faits de lisier de porc mélangé à de la sciure de bois, d'autres à partir d'ordures ménagères, de biosolides ou autres sous-produits industriels. Informez-vous auprès du fabricant si vous voulez connaître les matériaux de base de son compost. Évitez les produits à base de tourbe, qui est une matière non renouvelable. Essayez différentes sortes de composts et voyez le résultat sur vos plantes. Il est inutile de payer le gros prix pour un bel emballage.

Qu'il soit fait à partir de fumier de mouton, de bovin, de poule ou de résidus de crevettes, le compost est l'amendement par excellence.

COMMENT LE FAIRE SOI-MÊME ?

Le compost est produit par la décomposition accélérée de matières riches en azote (déchets de cuisine, gazon coupé), mêlées à des matières riches en carbone (feuille, paille, etc). Les facteurs qui influencent la vitesse de décomposition du compost sont: le bon équilibre carbone-azote, la fragmentation du matériel, le volume des matériaux, la méthode de compostage, la disponibilité de l'eau et de l'air. Il y a un excellent petit livret sur le compostage domestique disponible auprès de Nature-Action Québec (voyez les Ressources).

OÙ ET QUAND L'APPLIQUER ?

Le compost est bénéfique presque partout au jardin, sur la pelouse, dans les parterres, etc.

Il est facile de faire votre propre compost tout en recyclant vos déchets.

Le meilleur moment pour appliquer du compost est le printemps ou la fin de l'été.

Pour une pelouse en super forme, étendez une fine couche d'environ 0,5 à 1 cm, une ou deux fois par an.

ENDOPHYTES

COMMENT LE GAZON AVEC ENDOPHYTES PEUT-IL CONTRÔLER CERTAINS PARASITES ?

Les endophytes sont des champignons microscopiques qui vivent en association avec certaines plantes et qui produisent des substances répulsives pour certains insectes. Plusieurs semences à gazon (ray-grass et fétuques) contiennent des endophytes, qui les rendent en quelque sorte peu appétissantes pour des insectes tels que la punaise velue et la pyrale des prés.

Le gazon avec endophytes résiste à la punaise.

Le pourcentage d'endophytes diminue avec le temps dans les semences. Il faut donc acheter les semences dans des endroits sûrs,
ayant un bon renouvellement de stocks. Par ailleurs, le ray-grass,
qui est souvent la semence porteuse d'endophytes, ne survit pas
bien à nos hivers québécois et il faudra donc sursemer l'année
suivante.

Attention, les endophytes peuvent causer des problèmes digestifs
au bétail. On ne connaît pas les effets sur les animaux domestiques et les enfants, mais le problème semblerait mineur avec les
quantités ingérées occasionnellement. Certaines plantes de maison (comme le *Diffenbachia*) sont certainement beaucoup plus
toxiques que les endophytes.

ENGRAIS

QUE CONTIENNENT LES ENGRAIS NATURELS ?

Les engrais naturels peuvent provenir de différents composés
organiques ou minéraux naturels. Les engrais naturels d'origine
organique proviennent de résidus animaux (farine de plume,
poudre d'os, farine de crustacés, déjections de poulet déshy-
dratées) ou de résidus végétaux (émulsion d'algues, gluten de
maïs, farine de luzerne). Les engrais naturels d'origine minérale
sont extraits de différentes carrières, mais ne subissent aucune
transformation autre que le concassage ou le traitement à la
chaleur : phosphate de roche, basalte, chaux, sul-po-mag, etc.
Certaines compagnies recyclent des biosolides (boues d'égouts,
de papetières ou autres résidus), déshydratés à très haute température, comme engrais naturel.

Les engrais contiennent surtout des sources d'azote, de phosphore et de potassium : 3 minéraux essentiels à la croissance des

plantes, tout comme le calcium, le magnésium et le soufre. L'azote sert, entre autres, à fabriquer la chlorophylle et sera donc important pour toutes les parties vertes des plantes, les légumes-feuilles, le gazon, etc. Le phosphore aide à la floraison, à la fructification et au développement des racines, on l'utilise pour les plantes à fleurs, les bulbes printaniers et les légumes fruits, comme les tomates et les courges. Le potassium favorise la rigidité des tiges et aide les plantes à résister aux maladies et aux rigueurs de l'hiver. On l'utilise souvent dans les mélanges de fertilisation automnale, quoique le potassium soit facilement lessivé. Le calcium, souvent négligé en fertilisation, diminue l'acidité du sol, aide les plantes à résister à la sécheresse et favorise la formation du complexe argilo-humique. La chaux et la cendre de bois contiennent du calcium. Le soufre sert à la fabrication des protéines, mais est rarement déficient, excepté pour les plantes acidophiles. Quant au magnésium, il sert aussi à la synthèse de la chlorophylle, mais en quantité minime. On le trouve notamment dans la chaux dolomitique.

COMMENT DIFFÉRENCIER LES ENGRAIS NATURELS DES ENGRAIS CHIMIQUES ?

Surveillez la mention « 100 % naturel » sur les sacs d'engrais. Par ailleurs, les pourcentages d'azote, phosphore et potasse, indiqués obligatoirement sur les sacs, dépassent rarement 10 % pour les mélanges d'engrais naturels (exemple : 9-3-3 ou 4-2-2). Les engrais à « base naturelle » ou à « base organique » peuvent ne contenir que 15 % de produits naturels ou organiques, le reste étant des produits de synthèse.

ÉDITH SMEESTERS

Des engrais 100 % naturels sont actuellement disponibles dans toutes les jardineries.

Contrairement aux engrais chimiques (ou de synthèse), les engrais naturels sont généralement peu ou pas solubles et les éléments nutritifs sont libérés lentement par les organismes vivants, pour nourrir les plantes à leur rythme.

Les engrais chimiques sont très solubles et polluent nos lacs et nos rivières.

EST-CE QUE CELA COÛTE PLUS CHER ?

Les engrais naturels sont proportionnellement plus chers que les engrais chimiques, pour la quantité de minéraux qu'ils contiennent par sac de 20 kg, mais ils sont peu ou pas solubles. Il faut donc en appliquer moins qu'un engrais de synthèse puisque, contrairement aux engrais chimiques solubles, les engrais naturels ne sont pas lessivés par les eaux de pluies. En fait, une seule application par an peut durer toute l'année sur une pelouse. De plus, si on applique les méthodes écologiques pour l'entretien de la pelouse, on pourra encore réduire les quantités d'engrais en laissant le gazon coupé au sol (= 1 kg d'azote par an/100 m^2), en faisant du terreautage avec du compost (= 0,5 kg d'azote par an/100 m^2), et en semant du trèfle au travers des graminées (= 2 kg d'azote par an/100 m^2).

OÙ LES TROUVER ?

La plupart des jardineries ont maintenant un bon choix d'engrais naturels comme Acti-sol, Engrais McInnes, Distrival, Fertilec, etc.

MAUVAISES HERBES

COMMENT SE DÉBARRASSER DES MAUVAISES HERBES ?

Certaines plantes sauvages peuvent devenir envahissantes, nuire à l'apparence ou à l'utilisation du terrain. Il existe des herbicides à faible impact à base d'acide gras (savon) ou d'acide acétique. Ils ne sont cependant pas sélectifs et détruisent toute végétation. On va les utiliser sur les surfaces pavées, les sentiers, ou dans des endroits très localisés où on souhaite refaire la pelouse par exemple.

On peut aussi brûler les mauvaises herbes avec une torche au gaz propane ou un équipement qui projette de la vapeur d'eau bouillante. Cette dernière méthode est la plus recommandée à grande échelle (sur les sentiers, les bords de trottoirs, etc.), elle est plus écologique et moins dangereuse que la torche au propane. Les méthodes mécaniques sont évidemment toujours efficaces : arrachage manuel, application de paillis, sarclage, etc.

Voyez plus loin pour le contrôle des mauvaises herbes dans la pelouse.

MYCORHIZES

À QUOI SERVENT LES MYCORHIZES ?

Les mycorhizes sont des champignons qui vivent en association avec les racines des plantes. Ces champignons vivent partiellement dans le sol et partiellement dans les racines. Elles aident les plantes à absorber les minéraux, surtout le phosphore, le zinc, le manganèse et le cuivre. Chez les bruyères, elles aident à la fixation de l'azote du sol. En échange, la plante fournit des hydrates de carbone au champignon.

Les mycorhizes multiplient beaucoup l'efficacité du système racinaire. Elles sont très actifs dans les sols riches en matière organique, comme dans les sols forestiers. Leur activité est réduite dans les sols altérés par des retournements intensifs et l'emploi d'engrais chimiques et de pesticides. Les sols pauvres et compacts ainsi que les sols remaniés lors des constructions résidentielles ne contiennent pas de mycorhizes.

On trouve des mycorhizes dans le commerce pour améliorer l'enracinement des arbres, arbustes, pelouses, etc. Il est évident qu'il faut respecter les exigences de ces organismes pour avoir un résultat : ajouter du compost et des engrais de source naturelle qui libèrent graduellement les éléments requis par la plante.

Le jardin botanique de Montréal possède un site de démonstration sur la pelouse écolo et organise des ateliers.

L'utilisation de certains pesticides et d'engrais chimiques peut réduire le développement des mycorhizes, voire même les éliminer.

PELOUSE

ÉDITH SMEESTERS

COMMENT AVOIR UNE BELLE PELOUSE SANS PRODUITS CHIMIQUES ?

Une pelouse de prestige, comme on en voit dans les publicités, ne s'obtient pas sans efforts. Il y a une excellente fiche sur l'entretien écologique de la pelouse sur le site internet de la Coalition pour les Alternatives aux Pesticides (CAP) : www.cap-quebec.com. Voyez aussi le livre et la vidéo « Pelouses et couvre-sols » de Édith Smeesters (Ed. Broquet. 2000), disponible à la CAP (514 875-5995) ou en librairie.

Voici quelques **conseils en bref** :

- **Aérez le sol mécaniquement** s'il est trop compacté.

- **Amendez le sol** avec du compost (0,5 à 1 cm).

- **Réensemencez les endroits dégarnis** et les pelouses clairsemées.

- **Fertilisez** avec des engrais naturels à 100 %.

- **Coupez le gazon à 8 cm (3 po.)** de haut régulièrement.

- **Laissez les rognures** de gazon sur place.

- **Rectifiez le pH** au besoin pour qu'il soit situé entre 6,5 et 7,5.

- **Acceptez la biodiversité** comme une partie intégrante d'un environnement sain.

PEUT-ON AVOIR UNE BELLE PELOUSE À ENTRETIEN MINIMUM ?

On peut se contenter de tondre la pelouse à 8 cm comme seule pratique culturale. Cependant, dans ces conditions, le pâturin du Kentucky (qui constitue la plupart des pelouses et qui est une plante exigeante) va rapidement céder sa place à des plantes sauvages plus résistantes (pissenlit, renouée, plantain, etc.).

Le mieux est de sursemer la pelouse avec des herbes à entretien minimum comme le trèfle blanc, le lotier ou les fétuques fines (durette ou de Chewing). Ce sont des plantes qui tolèrent des conditions beaucoup plus difficiles que le pâturin et qui résisteront mieux à la sécheresse entre autres. Il y a cependant de nouveaux cultivars de pâturin qui sont moins exigeants et cela reste la meilleure plante pour les pelouses qui subissent un piétinement intensif. Achetez vos semences dans une jardinerie qui a du personnel qualifié, capable de répondre à vos questions. Si vous ne trouvez pas les semences que vous recherchez en magasin, demandez d'en faire la commande : il y en a chez les grossistes en semences au Québec. Ainsi, d'autres clients seront enchantés de trouver enfin les nouvelles espèces sur les tablettes.

Le trèfle blanc fixe l'azote de l'air et résiste mieux à la sécheresse que le pâturin.

COMMENT ÉVITER LES PISSENLITS DANS LA PELOUSE ?

Les pissenlits sont des plantes opportunistes qui profitent du moindre espace vacant pour s'installer. Il faut donc garder la pelouse bien touffue pour en avoir le moins possible. Il existe des herbicides à faible impact pour un contrôle localisé et partiel (voyez plus haut), mais il y a aussi d'excellents outils pour faire un désherbage mécanique lorsque le sol est encore souple au printemps (voyez *Hound dog* dans les Ressources).

Cet outil (Weed hound) est très efficace pour arracher les pissenlits avec la racine.

Peut-on continuer à arroser des pelouses avec de l'eau potable aux frais de la collectivité?

Faites preuve de tolérance car les pissenlits aèrent le sol de leur racine pivotante et font remonter les minéraux à la surface. Ils attirent aussi une quantité d'insectes bénéfiques. Par ailleurs, dans une pelouse dense et bien fertilisée, on ne les verra que durant les 2 semaines de leur floraison. Dès le mois de juin, leur feuillage disparaîtra dans le gazon vigoureux.

COMMENT LUTTER CONTRE LA SÉCHERESSE ET ÉVITER QUE LA PELOUSE JAUNISSE EN ÉTÉ?

L'arrosage de la pelouse est une pratique très controversée car c'est un gaspillage d'eau potable qui est collectivement très coûteux. De plus, la pelouse ne meurt pas en période de sécheresse, mais tombe seulement en dormance. Elle reverdira avec la pluie. Cependant, une pelouse stressée par la sécheresse favorise la multiplication de certains ravageurs, comme les punaises, et l'apparition de plantes plus résistantes comme le pissenlit.

On peut conserver la **pelouse plus vigoureuse et plus verte**:

- **En laissant le gazon haut** à au moins 8 cm (3 po et plus).

- **En ne la coupant pas** durant les canicules.

- **En ajoutant une petite couche** (0,5 à 1 cm) **de compost** une ou deux fois l'an.

- **En introduisant des plantes** plus résistantes à la sécheresse dans la pelouse: fétuques, trèfle blanc, lotier, thym serpolet, mil.

ÉDITH SMEESTERS

Une pelouse peuplée de thym serpolet résistera aux pires canicules.

OÙ TROUVER DU THYM SERPOLET POUR REMPLACER LES PELOUSES DE GRAMINÉES?

Il n'est pas facile de trouver des semences de thym serpolet (*Thymus serpyllum*) pour couvrir de grandes surfaces comme une pelouse. De plus, les cultivars qu'on trouve en graines sont actuellement très coûteux (environ 100 $ pour 100 gr !) et poussent relativement haut (15-20 cm), de telle sorte que les fleurs seront coupées avec la tondeuse à gazon. Quel dommage ! Nous recommandons de remplacer la pelouse progressivement en installant de petits plants dans les endroits secs et ensoleillés, les pentes, entre les dalles, etc. Plantez environ 3 à 5 plants par m². Ils se multiplieront très rapidement si l'environnement leur convient : sec et ensoleillé. Inutile d'enlever la pelouse si vous continuez de tondre, ce sera beaucoup moins de travail que de désherber une grande surface et de surveiller constamment les mauvaises herbes. Ne mettez surtout aucun engrais et n'arrosez plus, dès que les plants ont repris, pour favoriser le serpolet qui tolère des sols extrêmement pauvres et secs.

Nous recommandons les cultivars suivants qui fleurissent très bas pour obtenir un effet coloré et très tapissant *Thymus serpyllum* 'Coccineus' (5 cm), 'Magic carpet' (5 cm) et 'Eflin' (2 cm),

Un milieu plein de biodiversité permet d'éviter les infestations.

Thymus pseudolanuginosus (5 cm), *Thymus praecox* (5 cm). Mais attention : continuez de tondre la pelouse si d'autres plantes sont encore présentes (graminées, trèfle), sinon celles-ci risquent de prendre le dessus.

COMMENT ÉVITER LES INFESTATIONS (PUNAISES, FOURMIS, VERS BLANCS) ?

Les infestations sont souvent causées par un stress ou un déséquilibre (chaleur, sol pauvre, trop d'engrais, etc.) et certaines plantes sont plus sensibles que d'autres aux ravageurs. Par ailleurs, les monocultures favorisent les infestations. En effet, chaque plante attire des insectes bien spécifiques. Si on cultive une seule plante (monoculture), on attire un nombre très limité d'insectes et ceux-ci peuvent se multiplier à loisir. Par contre, en créant de la biodiversité, on attire une multitude d'insectes qui se feront compétition et empêcheront une seule espèce de dominer les autres. La biodiversité est le secret d'un environnement sain. Voyez aussi le chapitre « Amis et ennemis » pour des détails sur chaque ravageur.

PH

POURQUOI FAIRE UNE ANALYSE DE PH ?

Le pH du sol est très important car, lorsqu'il est trop bas ou trop élevé, cela bloque l'assimilation de certains éléments nutritifs. Le pH est un indice du taux d'acidité ou d'alcalinité du sol. Il se mesure sur une échelle de 1 à 14. Plus le pH est bas (de 7 à 1), plus le sol est acide; plus le pH est élevé (de 7 à 14), plus le sol est alcalin. La plupart des plantes aiment un pH situé entre 6,5 et 7,5. Un pH de 5 est dix fois plus acide que 6 et un pH de 4 est cent fois plus acide que 6, car c'est une échelle logarithmique. On corrige un pH trop acide en ajoutant de la chaux. Pour acidifier le sol (pour cultiver certaines plantes, comme les azalées par exemple) on peut ajouter de la mousse de tourbe et du soufre. Le compost a un effet tampon sur le sol et stabilise le pH. Si vous faites une analyse comparative de pH d'une année à l'autre, faites-la toujours au même moment de l'année car le pH s'acidifie considérablement durant l'été. Il peut aussi changer de façon importante selon le niveau de précipitations et suivant les apports au terrain (engrais, amendements).

POMMIERS

COMMENT AVOIR DES POMMES BIO OU CULTIVER UN ARBRE FRUITIER SANS PESTICIDES ?

Les pommiers sont des arbres qui attirent une très grande diversité de ravageurs et qui demandent des soins assidus. De plus, la plupart des cultivars les plus courants (Mc Intosh, Cortland) sont très sensibles à la tavelure : une maladie qui fait des taches brunes sur les feuilles et les fruits et les fait tomber prématurément.

Il est possible de minimiser les problèmes avec des pièges et des pesticides à faible impact, mais cela demande beaucoup d'expertise car il y a au moins une douzaine de parasites à connaître et à dépister et il faut intervenir au bon moment. Ce n'est pas un loisir, mais un travail à temps plein qu'il vaut peut être mieux laisser à des professionnels. Cela coûte généralement beaucoup moins cher d'acheter des pommes au magasin (même biologiques) que de payer pour tailler et traiter les pommiers chez soi.

Si l'aventure vous tente malgré tout, achetez au moins des variétés résistantes à la tavelure (voyez le site : http://www.caf. wvu.edu/kearneysville/tables/totscabsus.html) et procurez-vous le « Guide de protection et d'entretien écologique des pommiers et autres arbres fruitiers » auprès des auteurs : (450) 372-9962.

L'obtention de pommes bio est un métier très difficile qui ne s'improvise pas !

Un potager écologique cela commence par un bon sol et de la biodiversité.

POTAGER

COMMENT CULTIVER DES LÉGUMES SANS PESTICIDES ?

Il existe d'excellents livres sur le jardinage biologique au Québec. Voyez « Le jardinage écologique » et « La culture écologique des plantes légumières » de Yves Gagnon, Éditions Colloïdales. Aussi : « La culture écologique » de James McInnes (Editions Broquet, 2004).

Quelques **principes de base** en bref :

- **Préparez bien le sol,** ne négligez pas le compost, surtout pour les plantes « gourmandes » comme les tomates et les concombres.

- **Semez la bonne plante au bon endroit** (laitues à la mi-ombre, tomates au grand soleil).

- **Faites du compagnonnage** (les tomates aiment l'ail…).

- **Faites des rotations** entre les légumes d'une année à l'autre.

- **Entretenez bien votre jardin :** mettez du paillis ou sarclez.

SEMENCES À GAZON

QUELLES SONT LES MEILLEURES VARIÉTÉS DE GAZON ?

Il existe différents mélanges à gazon en fonction de l'ensoleillement ou de l'usage du terrain. La plupart des mélanges commerciaux contiennent les 3 espèces suivantes :

Pâturin du Kentucky : il tolère bien le soleil et le piétinement (4 semaines de germination).

Fétuque rouge traçante : elle tolère bien la mi-ombre (10 jours de germination).

Ray-grass (ou ivraie) : qui sert de plante abri car elle germe très vite (1 semaine), mais elle ne résiste pas bien à nos hivers québécois.

Les mélanges pour le soleil contiennent un plus grand pourcentage de pâturin du Kentucky. Les mélanges pour la mi-ombre contiennent plus de fétuque rouge traçante.

Il existe cependant des espèces qui demandent moins d'entretien, comme le trèfle, plusieurs sortes de fétuques fines (chewing, durette) et le mil. Il y a aussi de nouveaux cultivars de pâturin qui sont moins exigeants et plus résistants aux ravageurs. Recherchez les mélanges qui contiennent ces variétés ou cultivars. Si vous avez eu des problèmes avec la punaise ou la pyrale, semez des variétés de ray-grass et de fétuque contenant des endophytes.

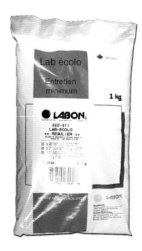

Procurez-vous un mélange de semences à entretien minimum, pour une pelouse moins gourmande.

COMMENT SEMER ET QUAND ?

Utilisez un épandeur pour une distribution uniforme des semences, passez dans les deux sens (en perpendiculaire) pour plus de densité. Recouvrez légèrement les semences avec un râteau en éventail. Passez un rouleau à moitié plein d'eau sur toute la surface. Dispersez un peu de paille (sans semences !) pour prévenir la déshydratation. Ensuite, arrosez régulièrement dans les quatre semaines qui suivent, s'il ne pleut pas. On peut semer au printemps ou à la fin de l'été. Ceci reste la meilleure période car le sol est plus chaud qu'au printemps et permet aux semences de germer plus vite et de mieux s'établir.

SOL

QU'EST CE QU'UN BON SOL ? UN BON MÉLANGE DE TERRE ?

Une **bonne terre** à jardin est constituée de :

40 à 50 % de sable	30 à 50 % de limon	15 à 25 % d'argile	

3 à 5 % de
matière organique

Les mélanges de terre à gazon sont généralement plus sablonneux pour un meilleur drainage et plus de facilité à étendre :

55 à 70 % de sable	15 à 25 % de limon	10 à 20 % d'argile	

3 à 5 % de
matière organique

Lorsqu'on dépasse 70 % de sable, le sol devient de plus en plus pauvre car les minéraux sont difficilement accessibles et il est beaucoup plus sensible à la sécheresse. Un sol sablonneux est souvent acide. Lorsque le sol est, au contraire, très argileux (plus de 30 % d'argile) il sera très riche, mais il se compactera rapidement et les racines des plantes pénètreront difficilement en profondeur. Une analyse de sol permet d'évaluer le pourcentage de sable, limon et argile (granulométrie). Il est aussi fort utile de connaître le pH et la teneur en matière organique (humus) et en minéraux essentiels (N, P, K, Ca, Mg).

COMMENT AMÉLIORER LE SOL ?

On améliore le sol en apportant d'abord des amendements, en corrigeant le pH et en ajoutant les éléments minéraux déficients. Tous les sols bénéficient d'un apport d'humus sous forme de compost. Le compost nourrit la faune microbienne du sol. Celle-ci contribue à former des agrégats qui laissent passer l'air et l'eau, retiennent l'humidité et les éléments nutritifs. Un sol sablonneux profitera d'un apport de limon ou d'argile et surtout de compost. Un sol argileux bénéficiera beaucoup d'un apport de compost et de sable.

OÙ PEUT-ON FAIRE ANALYSER NOTRE SOL ?

La plupart des jardineries offrent des analyses de sol. Une analyse de pH coûte environ 5 $, Une analyse plus complète coûte près de 20 $. Demandez comment préparer votre échantillon et comptez environ 2 semaines avant d'avoir les résultats.

TERREAUTAGE

POURQUOI ET QUAND FAUT-IL TERREAUTER?

Le terreautage consiste à appliquer une fine couche de terreau sur la pelouse afin d'augmenter sa teneur en matière organique et lui permettre ainsi de mieux résister à la sécheresse et de stimuler la vie microbienne du sol. L'utilisation de compost est de loin supérieure à la terre noire, à la mousse de tourbe ou à n'importe quel mélange de terre qui peut contenir des semences de mauvaises herbes. On peut faire du terreautage juste après un semis pour protéger les semences en attendant la germination. Il suffit d'étendre 0,5 à 1 cm de compost à la volée avec une pelle sur une pelouse coupée court et de bien relever l'herbe avec un râteau après l'opération. Il existe des appareils motorisés pour faire du terreautage sur de grandes superficies (voyez *Gazon écologique* dans les Ressources).

Le meilleur temps pour terreauter est au printemps (de la mi-avril à la mi-mai) ou à la fin de l'été (de la mi-août à la mi-septembre), lorsqu'il pleut souvent et que le temps est propice pour les semis.

PHOTOS : ÉDITH SMEESTERS

Terreautage sous pression.

Ce terreauteur motorisé vous permet d'épandre environ 4 m^3 de compost à l'heure.

AMIS ET ENNEMIS

Cette liste a été établie par ordre alphabétique pour plus de facilité. Elle contient des insectes, des mammifères, des oiseaux... bref, des organismes qui vivent près de nous, ou fréquentent notre environnement immédiat ou rapproché.

Nous ne donnons pas ici la description de tous les ravageurs de nos cours et jardins, mais les plus fréquents. De plus, nous avons voulu mettre l'emphase sur plusieurs insectes ou autres animaux utiles, souvent méconnus et parfois même détestés. En fait, la grande majorité des organismes qui vivent dans nos jardins sont utiles et les infestations sont souvent causées par des déséquilibres dans notre écosystème.

Des ouvrages plus spécialisés, ou plus scientifiques, sont indiqués en référence dans la bibliographie.

Nous avons classé ce chapitre en 3 parties : animaux, plantes indésirables et maladies.

Classification du règne animal

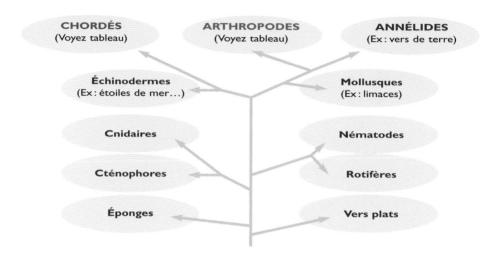

CHORDÉS
(Voyez tableau)

ARTHROPODES
(Voyez tableau)

ANNÉLIDES
(Ex : vers de terre)

Échinodermes
(Ex : étoiles de mer…)

Mollusques
(Ex : limaces)

Cnidaires

Nématodes

Cténophores

Rotifères

Éponges

Vers plats

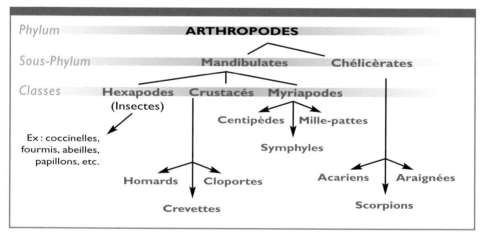

Phylum — **ARTHROPODES**

Sous-Phylum — **Mandibulates** **Chélicèrates**

Classes — **Hexapodes**
(Insectes) **Crustacés** **Myriapodes**

Centipèdes **Mille-pattes**

Ex : coccinelles,
fourmis, abeilles,
papillons, etc.

Symphyles

Homards **Cloportes**

Acariens **Araignées**

Crevettes

Scorpions

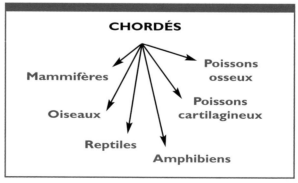

CHORDÉS

Mammifères

**Poissons
osseux**

Oiseaux

**Poissons
cartilagineux**

Reptiles

Amphibiens

ANIMAUX

ABEILLE DOMESTIQUE
Apis mellifera / Honeybee

Insectes ailés de 19 mm, au corps velu, strié de noir et d'orange doré, aux ailes transparentes. Les larves sont blanches, apodes et sont nourries par les ouvrières dans des ruches.

ANDRÉ PAYETTE, INSECTARIUM DE MONTRÉAL

CYCLE DE VIE

Suite à sa fécondation par les faux-bourdons, la reine se met à pondre jusqu'à la fin de sa vie. Une seule reine peut pondre de 1500 à 2500 œufs par jour, du printemps jusqu'à la fin de l'automne. Les œufs éclosent au bout d'environ trois jours. Une petite larve blanche en émerge et est aussitôt nourrie par les ouvrières.

La larve mue à cinq reprises au cours de sa croissance, avant de se transformer en nymphe. À la fin de ce dernier stade, une dernière mue donnera naissance à une abeille adulte.

EFFETS BÉNÉFIQUES

Pollinisateurs extrêmement importants pour les arbres fruitiers et toutes les cultures en général, on estime la valeur économique de leurs activités de pollinisation à plus de 30 milliards de dollars américains par année en Amérique du Nord.

EFFETS INDÉSIRABLES

Les abeilles domestiques peuvent piquer lorsqu'elles se sentent menacées. Bien que leur piqûre soit douloureuse, les abeilles ne sont pas agressives et il est rare qu'elles piquent les humains. *Attention :* le dard reste dans la peau et il faut l'extirper soigneusement avec des pinces à sourcils pour ne pas le casser. Bien des gens confondent les abeilles avec les guêpes, qui sont beaucoup plus agressives.

COMMENT LES ATTIRER

- Plantez des fleurs riches en nectar et en pollen (voyez l'annexe).

- Prévoyez un point d'eau en cas de sécheresse, comme un bain d'oiseau.

- N'utilisez pas de pesticides, même biologiques. En cas de nécessité absolue, attendez le coucher du soleil avant de pulvériser des pesticides à faible impact.

ACARIENS PHYTOPHAGES
Tetranychus spp., *Panonychus* spp., *Oligonychus* spp. / Mites

THÉRÈSE ARCAND,
RESS. NAT. CANADA

Organismes piqueurs-suceurs, de taille minuscule, à peine visibles à l'œil nu (1 mm et moins de long), qui se nourrissent du contenu cellulaire de certaines plantes. Les acariens sont apparentés aux araignées et, comme celles-ci, ils possèdent un corps en deux parties étroitement réunies et 8 pattes. Ils peuvent être jaunes, rouges (araignée rouge), verts, bruns ou incolores. Il existe aussi des acariens prédateurs fort utiles (voyez page suivante).

CYCLE DE VIE

Les œufs d'hiver (fertilisés) donnent naissance à des femelles. Celles-ci deviennent actives au printemps, envahissant les plantes pour s'en nourrir et y pondre des œufs d'été non fertilisés, qui deviendront des mâles ou des femelles. À partir du milieu de l'été, plusieurs générations se chevauchent. Au-dessus de 20 °C, le cycle se déroule en moins de 2 semaines et, en-dessous de 12 °C, il s'allonge considérablement atteignant presque 2 mois à 10 °C. À l'extérieur, le nombre de générations est donc généralement moins grand qu'en situation abritée.

Certains acariens, comme le tétranyque à 2 points, hibernent au stade adulte parmi les débris végétaux, dans des fentes du sol ou dans tout autre abri approprié, comme les fentes de maçonnerie, des tuteurs et des poteaux.

EFFETS INDÉSIRABLES

Les acariens phytophages se nourrissent de la sève des plantes. Leurs piqûres provoquent de petites taches jaunes ou blanchâtres en forme de point. Les feuilles deviennent grisâtres, brunes ou bronzées et tombent prématurément. Les plants fortement infestés peuvent présenter une fine toile, semblable à celle des araignées, sur leurs feuilles. Une infestation très grave peut provoquer la chute des feuilles, voire la mort de la plante. Certaines espèces d'acariens peuvent provoquer des gales sur les végétaux, mais il s'agit de dommages esthétiques qui nuisent rarement aux plantes et qui ne nécessitent pas d'intervention.

PLANTES AFFECTÉES

La plupart des plantes herbacées et ligneuses, ornementales, potagères, fruitières et également les plantes d'intérieur.

COMMENTAIRES

Le développement des acariens est favorisé par des conditions climatiques chaudes et sèches, une fertilisation surabondante et un manque d'humus. Les acariens phytophages peuvent développer rapidement une résistance aux pesticides chimiques.

CONTRÔLE

• Pulvérisez les arbres avec de l'huile de dormance au printemps avant l'ouverture des bourgeons pour détruire les œufs.

• Introduisez des acariens prédateurs : *Phytoseiulus persimilis* ou *Amblyseius californicus* (voyez *Prédateurs* dans Ressources).

• Introduisez d'autres prédateurs : larves de coccinelles et larves de mouche *Feltiella acarisuga*.

• Pulvérisez un savon à la pyréthrine mélangé avec de l'alcool à friction (alcool isopropylique) à raison de 500 ml de savon dilué, prêt à l'emploi, pour 15 ml d'alcool.

ACARIENS PRÉDATEURS
Phytoseiulus spp., Amblyseius spp. / Predatory mites

Petits acariens beiges, bruns pâles ou rouges qui se déplacent rapidement.

NIC

PHOTOS : PAUL MALONEY

Genévriers atteints par des acariens phytophages.

Les mêmes genévriers après le traitement avec des acariens prédateurs.

CYCLE DE VIE

Le cycle de vie d'*Amblyseius californicus,* par exemple, ne dure que quatre jours à des températures élevées, donc deux fois plus rapide que celui de l'araignée rouge. À plus basse température, il peut vivre 20 jours.

EFFETS BÉNÉFIQUES

Les acariens prédateurs s'attaquent aux acariens phytophages et à des insectes nuisibles notamment les thrips et les mouches sciarides.

COMMENT LES ATTIRER

• Évitez de pulvériser des pesticides pour ne pas affecter les acariens prédateurs indigènes.

• Laissez fleurir des plantes qui attirent les prédateurs dans votre jardin (voyez l'annexe).

• Procurez-vous des acariens prédateurs (voyez *Prédateurs* dans Ressources). Ils sont livrés à l'état d'adultes et de nymphes sur un support de graines. Pour l'application, saupoudrer le contenu de la fiole sur le feuillage.

ALEURODE DES SERRES (mouche blanche)
Trialeurodes vaporariorum / Greenhouse Whitefly

BERNARD DROUIN, MAPAQ

Les adultes, tout comme les larves, sont des piqueurs-suceurs et se retrouvent généralement sur la face inférieure des feuilles sur les plantes d'intérieur. Les adultes sont plus nombreux au sommet des plantes alors que les stades larvaires sont sur les feuilles plus basses. Les adultes s'envolent lorsqu'on bouge les plantes.

CYCLE DE VIE

Les femelles déposent leurs œufs à la face inférieure des feuilles les plus jeunes; les larves éclosent des œufs au bout de deux jours. Au premier stade de son développement, la larve se déplace en rampant. Ensuite elle se fixe et après plusieurs stades de développe-ment, elle passe au stade nymphal (pupe) dont elle émergera sous sa forme adulte. En moyenne, l'aleurode accomplit son cycle de vie en 20 à 35 jours et plus vite en été. Plusieurs générations se chevauchent par année et continuent pendant tout l'hiver à l'intérieur ou sous des climats chauds.

EFFETS INDÉSIRABLES

En suçant la sève, ils provoquent le jaunissement des feuilles. Les larves sécrètent un miellat sucré qui rend les feuilles collantes. Un champignon noir, la fumagine, peut se développer rapidement sur ce miellat.

PLANTES AFFECTÉES

Au Québec, ils se retrouvent dans les cultures en serre et sur les plantes d'intérieur et peuvent se propager à l'extérieur, surtout lorsque le temps est chaud. Ils sont attirés par la couleur jaune. La chélidoine (*Chelidonius majus*) peut agir comme plante appât, c'est une plante qui pousse naturellement dans les lieux ombragés et secs. Plusieurs sortes d'aleurodes s'y concentrent en grand nombre.

CONTRÔLE

• Libérez des petites guêpes parasitoïdes (*Encarsia formosa*) en prévention avant l'infestation.

• Installez des trappes jaunes collantes (Sticky sticks) dans les plantes d'intérieur atteintes.

• Vaporisez du savon insecticide à base de pyréthrine sur les colonies.

• Vaporisez de l'huile de dormance en début de saison.

ALTISES
Phyllotreta spp., *Epitrix* spp., *Altica* spp. / Flea beetles

Les altises, ou «puces de terre», sont des insectes sauteurs de 2 à 3 mm de long, de couleur noire ou bleu métallique. Une espèce commune en agriculture a le front de la tête rouge. La larve est jaunâtre avec des poils latéraux.

THÉRÈSE ARCAND, RESS. NAT. CANADA

Altica populi

CYCLE DE VIE

Les altises passent l'hiver à l'état adulte dans les débris végétaux ou dans le sol. Elles émergent en mai et elles se multiplient surtout pendant les périodes de chaleur et de sécheresse. La femelle pond ses œufs sur le sol, autour des plantes hôtes. Les jeunes larves se nourrissent des racines et les nouveaux adultes apparaissent à la fin juillet.

EFFETS INDÉSIRABLES

Les altises font des trous dans les feuilles.

PLANTES ATTAQUÉES

Cornouiller, hydrangée, vigne grimpante, giroflée, weigelia, capucine.

CONTRÔLE

• Encouragez les oiseaux insectivores qui s'en nourrissent (ex : hirondelles).

• Arrosez le feuillage par temps ensoleillé.

• Introduisez des nématodes parasites au niveau des racines pour contrôler les larves.

• Appliquez une solution répulsive sur le feuillage : mélanger de l'ail avec de l'eau savonneuse (1 c. à soupe par litre d'eau).

• Appliquez un savon insecticide à base de pyréthrine.

• Nettoyez le sol des débris végétaux pour diminuer le taux de survie des adultes hibernants.

BERNARD DROUIN, MAPAQ

ANNELEUR DU FRAMBOISIER
Oberea affinis / Raspberry cane borer

L'adulte est un mince coléoptère noir avec une tache jaune clair ou orange (pronotum). Il est orné de deux ou trois points noirs et est muni d'antennes charnues. La larve est blanche et mesure environ 2 cm à maturité.

CYCLE DE VIE

Cet insecte a besoin deux ans pour se développer. Il est présent sur le terrain de juin jusqu'en août. La femelle pond un œuf à la fois en juin dans la tige des nouvelles pousses. Ensuite, elle pratique une série de trous au-dessus et au-dessous de son œuf. Après leur émergence, la jeune larve y creuse une galerie pour se nourrir et se développer et y passe le premier hiver. Elle reprend son activité le printemps suivant et atteint le collet, de sorte qu'elle passe le deuxième hiver dans la tige, près du sol. Elle se transforme en pupe le printemps suivant et le nouvel adulte émerge vers la fin de juin.

EFFETS INDÉSIRABLES

L'anneleur du framboisier attaque le framboisier, le mûrier et le rosier. La femelle perfore une série de trous, formant deux anneaux, à environ 15 cm de l'extrémité de la tige, entre lesquels elle a pondu un œuf. Les activités des larves entraînent le flétrissement des pousses et leur mort.

CONTRÔLE

Éliminez les larves avant qu'elles atteignent le collet en coupant et en brûlant, le plus tôt possible, les tiges flétries à 5 cm au-dessous de l'anneau inférieur. Assurez-vous que l'insecte est présent dans la partie coupée; dans le cas contraire, il faut sectionner de nouveau plus bas.

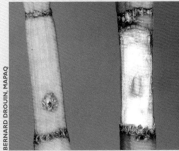

Gros plan de dégât de ponte.

BERNARD DROUIN, MAPAQ

ARAIGNÉES
Spiders

Les araignées font partie de la classe des arachnides, qui ont huit pattes à la différence des insectes qui en ont six. Leur tête, munie de plusieurs yeux ou ocelles, est soudée au thorax ainsi que de deux crochets ressemblant à des serres avec lesquels ils injectent du venin à leurs proies ou à leurs ennemis. Il existe environ 2 500 espèces d'araignées en Amérique du Nord et 634 espèces au Québec. Leur taille, incluant les pattes, varie entre 0,3 cm à un peu plus de 15 cm.

ÉDITH SMEESTERS

Argiope aurantia.

CYCLE DE VIE

La plupart des araignées pondent leurs œufs dans un sac de soie qu'elles dissimulent à l'abri ou qu'elles transportent avec elles. Les œufs éclosent quelques semaines après la ponte ou au printemps suivant dépendant des espèces. Les araignées passent l'hiver à l'état d'œufs, à un stade immature ou sous leur forme adulte.

EFFETS BÉNÉFIQUES

Toutes prédatrices, les araignées sont très utiles dans le jardin car elles se nourrissent d'une quantité importante d'insectes nuisibles : une seule araignée peut détruire jusqu'à 2 kg d'insectes par année. Certaines chassent passive- ment en attente dans leur toile, alors que d'autres chassent activement en se déplaçant pour trouver leurs proies.

EFFETS INDÉSIRABLES

Les araignées n'attaquent pas les plan- tes, mais quelques espèces peuvent parfois mordre les humains lorsque dérangées. Cela reste toutefois rare et sans conséquences, à l'exception des personnes plus sensibles à la morsure de quelques espèces, sinon ce sera au plus l'équivalent d'une piqûre d'abeille dans nos régions.

PRÉVENTION

Si vous avez une quantité importante d'araignées, dites-vous bien qu'il y a aussi une grande quantité d'insectes à manger, sinon elles ne seraient pas là. Il est cependant possible de diminuer leur population près de la maison :

- Calfeutrez bien toutes les entrées possibles, de façon à éviter qu'elles entrent à l'intérieur.

- Évitez les plantes qui grimpent sur les murs et favorisent l'accès de la maison aux araignées.

• Éteignez les lumières à l'extérieur qui attirent les papillons et autres insectes que les araignées adorent.

CONTRÔLE

Il faudrait plutôt se demander « comment attirer les araignées dans le jardin ? » ou « comment contrôler la peur des araignées ? » puisque ce sont d'excellentes prédatrices.

Cependant, le moyen le plus simple pour vous en débarrasser est de passez l'aspirateur sur le revêtement extérieur et d'appliquer les mesures préventives.

BERNACHE RÉSIDENTE

Branta canadensis maxima / Giant Canada Goose

NORM NORTH, CANADIAN WILDLIFE SERVICE

La bernache résidente est un très gros oiseau de 3,5 à 5,6 kilos, alors que l'espèce indigène pèse de 3 à 4 kilos. Elle provient de programmes de relâchements effectués entre 1960 et 1980 en Ontario et aux États-Unis. Habituée à la présence de l'homme, elle reste près des lieux habités et ne migre pas vers le grand Nord. Elle niche sous le 49° de latitude nord. Très abondante aux États Unis et en Ontario, on la trouve maintenant de plus en plus dans le sud du Québec. Depuis 15 ans, le nombre de nids dans les îles de Varennes a augmenté de 2 ou 3 à plus de 135.

EFFETS INDÉSIRABLES

La bernache résidente n'a pas peur de l'homme et elle vient brouter l'herbe près des maisons situées près de l'eau, sur les terrains de golf, les parcs, etc. Elle abîme les belles pelouses et produit des excréments imposants. Certaines bernaches peuvent être agressives et, à cause de leur taille, causer des blessures. Quelques bernaches peuvent être fort intéressantes à observer, mais lorsqu'on a 30 ou 50 bernaches sur la pelouse, cela devient réellement envahissant !

PRÉVENTION

• Ne nourrissez pas les bernaches, ni aucun animal sauvage d'ailleurs.

• Découragez leur nidification.

Nid de bernaches résidentes.

• Un chien est un bon moyen dissuasif.

• Érigez une clôture temporaire au bord de l'eau ou laissez pousser une bande riveraine dense, car elles ont besoin d'un accès direct à l'eau et, pendant qu'elles remplacent leurs plumes, elles ne peuvent pas voler.

• Diminuez la superficie de la pelouse ou laissez la pousser très longue : la bernache préfère les pelouses tendres et bien fertilisées.

CONTRÔLE

• Les professionnels utilisent une huile minérale spéciale pour arrosez les œufs : ils ne pourront pas éclore et la bernache ne pondra plus aussi longtemps qu'elle a des œufs à couver.

• La période de chasse à la bernache résidente a été étendue depuis 1996, mais informez-vous auprès de votre municipalité avant d'utiliser une arme à feu.

BLATTES, COQUERELLES *Blatta* spp., *Periplaneta* spp. et *Blattella* spp. / Cockroaches

Insectes de forme ovoïde dont la taille varie entre 2 et 5 cm ; la couleur varie de beige à noire selon les espèces. Leurs pattes robustes et élancées leur permettent de se déplacer très rapidement lorsqu'elles sont dérangées. Elles sont également munies de grandes ailes qui recouvrent leur dos lorsqu'elles sont au repos. Leurs antennes, très longues et fines, permettent de les distinguer facilement des autres insectes aux mêmes proportions. La plupart des coquerelles se nourrissent de matière végétale morte dans la nature. Dans les maisons, elles préfèrent donc les glucides aux protéines et aux lipides mais, quand la faim les tenaille, elles ingurgitent à peu près n'importe quoi, bien que les blattes puissent vivre de longues périodes sans manger.

CYCLE DE VIE

Après avoir incubé ses œufs pendant 20 à 30 jours, la femelle dépose d'une à quatre coques pouvant contenir de 35 à 50 œufs chacune. Les jeunes larves deviennent adultes en une centaine de jours, en passant par six à sept stades de transformation. La durée de chaque stade varie selon la température et l'humidité relative.

EFFETS INDÉSIRABLES

Les coquerelles peuvent rapidement envahir les armoires et les moindres recoins d'un appartement car elles se reproduisent très vite. Elles laissent des excréments partout et rendent la nourriture impropre à la consommation.

PRÉVENTION

- Ne laissez jamais des aliments ou de l'eau à découvert.

- Nettoyez immédiatement les substances renversées et nettoyez bien la cuisine tous les jours.

- Placez les ordures dans des sacs de plastique scellés et éliminez-les tous les jours.

- Ne laissez pas la vaisselle sale traîner sur le comptoir, en particulier la nuit.

- Passez régulièrement l'aspirateur pour éliminer les particules d'aliments et les masses d'œufs de l'insecte.

- Bloquez, scellez ou calfeutrez les fissures autour des fondations, ainsi que les points d'accès aux trous dans les murs, plinthes, bouches d'aération, évier, bain, etc.

- Posez des moustiquaires métalliques dans les ouvertures d'aération en n'oubliant surtout pas le système d'évacuation du poêle et les ouvertures du toit. La sortie de sécheuse présente aussi une bonne porte d'entrée, mais la pose d'un grillage exige d'y avoir accès assez librement pour le nettoyer car il peut s'obstruer facilement.

- Le contrôle de l'humidité, l'amélioration de l'éclairage et de la ventilation dans les endroits critiques, favoriseront également l'élimination des coquerelles.

CONTRÔLE

- Capturez les blattes à l'aide de pièges collants. Tuez les blattes capturées en les écrasant ou en les enfermant dans un pot avec un peu d'alcool à friction pendant 24 heures.

- Procurez-vous de l'acide borique en poudre et appliquez-en une mince couche aux endroits où passent les coquerelles. Si la couche est trop épaisse, les blattes passeront à côté. *Attention :* n'utilisez que dans les endroits hors de portée des enfants et des animaux domestiques car l'acide borique peut être toxique lorsqu'il est ingérée.

- Appliquez de la terre diatomée. Quand les insectes passent aux endroits traités avec cette poudre, la couche cireuse externe qui les protège se fissure, entraînant ainsi la déshydratation et la mort des insectes.

NB : cette méthode n'est efficace que si elle est utilisée avec d'autres moyens de lutte. Les coquerelles mises en contact avec la terre diatomée meurent dans les deux semaines qui suivent l'application du traitement.

BOURDONS
Bombus spp / Bumblebees

RENÉ LIMOGES, INSECTARIUM DE MTL

L'adulte ressemble à une grosse abeille (2 cm et plus) au corps très poilu, strié de jaune et noir, mais certaines espèces portent aussi des bandes blanches et oranges. Les bourdons sont munis de pattes noires robustes et d'ailes, relativement courtes, qui ne recouvrent qu'une partie de leur dos. Ils nichent généralement au sol dans des terriers de souris abandonnés, mais peuvent utiliser des nichoirs d'oiseaux ou d'autres cavités abritées surélevées. Leur colonie est annuelle dans les régions tempérées : seules les reines fécondées survivent à l'hiver.

Au Québec, beaucoup de gens appellent les bourdons : des « taons ». En fait, les taons sont des insectes piqueurs très agressifs, comme la mouche à chevreuils, alors que les bourdons ne piquent que s'ils se sentent vraiment menacés.

CYCLE DE VIE

Au début de la saison, la reine prépare des cellules à miel et des cellules à couvain. Ensuite, elle déposera les œufs dans les cellules de ponte (cellules à couvain). La reine peut pondre entre 5 et 20 œufs blancs et l'éclosion à lieu de trois à cinq jours plus tard. Elle utilisera les cellules à miel pour se nourrir pendant qu'elle incube ses œufs et ensuite ses larves. Les jeunes larves, blanches et sans pattes, subiront quatre mues pour finalement se transformer en nymphe et émerger sous forme adulte après environ 10 à 15 jours. Vers la fin de l'été, la reine pond généralement des œufs non fécondés qui donnent

naissance à des mâles et des femelles fertiles. Une fois adultes, ces derniers quittent le nid et s'accouplent. Les mâles meurent ensuite, mais les futures reines fécondées passent l'hiver dans un abri pour donner naissance à une nouvelle colonie le printemps suivant. Seules ces reines passent l'hiver, le reste de leur colonie natale meurt avec la baisse de température à l'automne.

EFFETS BÉNÉFIQUES

Excellents pollinisateurs qui sont également actifs par temps frais : ce sont les premiers à sortir au printemps. Leur langue, très longue, leur permet aussi d'exploiter des fleurs inaccessibles à d'autres pollinisateurs.

COMMENT LES ATTIRER

Évitez les pesticides dans le jardin. Aménagez une flore abondante, diversifiée et attractive, du printemps (bulbes printaniers) jusqu'à l'automne en incluant des fleurs indigènes (voyez l'annexe : *Plantes riches en nectar et en pollen*).

CARABES
Ground beetles or Carabid beetles

Coléoptère bleu-noirâtre, vert métallique ou brun brillant (2 à 35 mm). Les larves sont d'un vert brun foncé ou noir avec 10 segments. Les adultes ont de longues pattes robustes leur permettant de s'enfuir rapidement lorsqu'ils sont dérangés. La carapace protégeant leurs ailes possède souvent des stries en relief sur le sens de la longueur et des motifs de coloration ou des ponctuations sur leur corps.

CYCLE DE VIE

Les adultes émergent au printemps et pondent dans le sol. Les larves se nourrissent d'insectes et de limaces pendant deux à quatre semaines, ensuite ils se transforment en pupes dans le sol. Ils vivent généralement sur ou dans le sol.

Leurs mœurs nocturnes font en sorte qu'on les voit rarement le jour à moins de soulever des pierres ou des débris au sol. La nuit, ils sortent chasser leurs proies, surtout au sol, mais certaines espèces peuvent également grimper aux plantes (surtout chez les espèces arboricoles). Les adultes restent dans le sol pour passer l'hiver, mais plusieurs hibernent sous la forme d'œufs.

EFFETS BÉNÉFIQUES

Excellents prédateurs au sol, ils mangent notamment des limaces. Certaines espèces se nourrissent aussi d'insectes nuisibles comme les chenilles et les pucerons. Une larve de carabe peut manger plus de 50 chenilles par jour. Un carabe adulte peut vivre 2 ou 3 ans, selon l'espèce. Il en existe plus de 2500 espèces en Amérique du Nord et environ 460 au Québec.

COMMENT LES ATTIRER

Procurez-leur des endroits pour s'abriter : paillis, couvre-sols, pierres plates légèrement surélevées…

CENTIPÈDES (SCOLOPENDRES)
Centipedes

ÉDITH SMEESTERS

Myriapode plat, de couleur brun-rouge, au corps segmenté et allongé, possédant 15 paires de pattes et plus. Chaque segment du corps comporte une seule paire de pattes, à la différence des millipèdes (mille-pattes) qui en ont deux par segment et dont le corps est cylindrique. Les antennes des centipèdes sont relativement longues et comportent 14 segments ou plus. Leurs pièces buccales disposent de fortes mandibules ainsi que de deux crochets, ressemblant à des serres, avec lesquels ils injectent du venin à leurs proies ou à leurs ennemis. Arthropodes furtifs, ils se cachent le jour sous les pierres, sous des bûches ou dans le sol. Très actifs, ils se déplacent très rapidement lorsqu'ils sont dérangés.

EFFETS BÉNÉFIQUES

Les centipèdes sont d'habiles prédateurs qui se nourrissent de plusieurs espèces d'insectes nuisibles.

EFFETS INDÉSIRABLES

Dans nos régions, les centipèdes sont très petits et leur morsure est sans conséquence. Les espèces des tropiques, beaucoup plus gros, peuvent infliger aux humains des morsures douloureuses.

COMMENT LES ATTIRER

• Fournissez-leur des pierres plates lé-gèrement surélevées ou du paillis pour qu'ils puissent se cacher.

• Évitez d'utiliser des pesticides, ils y sont très sensibles.

CERF DE VIRGINIE (CHEVREUIL)
Odocoileus virginianus / White-tailed deer

Ce que nous appelons communément des chevreuils sont des cerfs de Virginie. Ils sont si beaux, mais ils peuvent causer des dommages s'ils sont très nombreux.

EFFETS INDÉSIRABLES

PIERRE BERNIER, M. CP

Les cerfs de Virginie mangent une grande variété de jeunes plants qui sont à leur portée: feuilles des petits arbres, bourgeons de pommiers, légumes, etc. Ils sont responsables aussi de la raréfaction d'une partie de la flore sauvage des bois, incluant plusieurs espèces classées rares ou menacées au Québec. Ils causent également de nombreux accidents sur les routes: entre 5 et 6 000 cerfs sont tués chaque année par les automobilistes et 30 % des accidents routiers en Estrie sont causés par les cerfs de Virginie.

PRÉVENTION

• Une clôture de 2 ou 3 mètres de haut semble être le seul moyen pour décourager les chevreuils sur votre propriété. C'est un peu irréaliste pour un grand terrain, mais le seul moyen efficace pour un petit potager par exemple. Deux clôtures parallèles de 1,20 m de haut, espacées de 1,50 m sont aussi efficaces. Une clôture électrifiée de 1,20 m de haut les tiendra aussi en échec.

• Il existe plusieurs répulsifs sur le marché, mais tous semblent inefficaces à long terme, surtout lorsque les cerfs ont très faim.

• Du poivre de Cayenne a été testé avec succès, mais il faut répéter les applications régulièrement.

• De petites savonnettes accrochées aux arbres semblent être un moyen efficace. L'odeur les dérange, il faut donc choisir un savon très parfumé.

• Un chien qui patrouille à l'extérieur est un excellent moyen dissuasif.

• Choisissez des plantes que les cerfs ne mangent pas (procurez-vous l'excellente publication « Le cerf de Virginie. Comment faire face aux dangers qu'il peut causer » du Ministère des ressources naturelles, faune et parcs : (418) 832-7222 ou sur leur site http://www.fapaq.gouv.qc.ca/fr/publications/faune/cerf_dommages/Fascicule_2.pdf).

CONTRÔLE

• En l'absence de prédateurs, une chasse plus intensive permettrait de réduire les populations.

CHARANÇONS
Snout beetles

BERNARD DROUIN, MAPAQ

Charançon de la prune.

Les charançons sont des insectes qui présentent de grandes variations de forme et de taille. Certaines espèces sont noires, brun foncé ou très vivement colorées, alors que d'autres espèces miment les couleurs de fientes d'oiseaux ou d'insectes. Toutes les espèces possèdent un rostre très long (nez allongé) qui leur a valu l'appellation de « Snout beetles » en anglais. La plupart des espèces, lorsqu'elles sont dérangées, replient leurs pattes et leurs antennes pour se laisser tomber au sol et demeurer immobiles, faisant les morts pendant un certain temps.

EFFETS INDÉSIRABLES

Tous les charançons s'attaquent aux plantes et plusieurs espèces sont des ravageurs importants. Des exemples notoires sont le charançon de la prune (*Conotrachelus nenuphar*) qui s'attaque à beaucoup d'arbres fruitiers ainsi qu'à leurs fruits, le charançon de la racine du fraisier (*Otiorhynchus ovatus*) et le charançon du pin blanc (*Pissodes strobi*). Presque toutes les parties de la plante, à partir des racines, peuvent être attaquées par les charançons. Les larves se nourrissent surtout dans les tissus, alors que les adultes font des trous dans les fruits, les noix et autres parties des plantes.

CHARANÇON DE LA PRUNE

Conotrachelus nenuphar

CYCLE DE VIE

Ce type de charançon est aussi un ravageur majeur des pommiers. Les adultes hibernent dans la litière des boisés situés près des vergers. Au printemps, les charançons adultes migrent du bois vers les vergers, en fonction de la température. La ponte commence juste après la chute des pétales (nouaison). Les œufs sont déposés sous la blessure que les femelles infligent aux fruits. Ils éclosent après 3 à 12 jours et les larves se développent en 18 jours. Souvent, les fruits attaqués tombent de l'arbre en juin. Les larves quittent alors les fruits pour se transformer en nymphes dans le sol, à moins de 8 centimètres de profondeur. La nouvelle génération d'adultes apparaît généralement vers la mi-août et le début de septembre. Ces adultes se nourrissent des fruits présents dans les arbres et au sol, après quoi ils migrent vers le bois pour passer l'hiver à l'abri.

CONTRÔLE

• Effectuez le battage des arbres affectés après le début de la formation des fruits, le matin quand le temps est frais ou en soirée par temps chaud. Le battage consiste à brasser ou frapper l'arbre pour en faire tomber les charançons sur un drap placé en dessous. Utilisez un bâton coussiné, pour éviter d'endommager les arbres, ou frappez les cordes d'ancrages des arbres pour diminuer les risques de les endommager. Les adultes ainsi capturés peuvent être noyés dans de l'eau savonneuse.

• Évitez de laisser des débris au pied des arbres, ils servent d'abris aux charançons adultes.

• La roténone ou un mélange de pyrèthre-roténone est utilisé contre le charançon, mais la roténone est très toxique, même si c'est un produit naturel.

• L'ail repousse le charançon.

CHARANÇON DU PIN BLANC

Pissodes strobi

CYCLE DE VIE

Le charançon du pin a une génération par an. Il se nourrit, s'accouple puis pond ses œufs dans l'écorce des flèches terminales de l'année précédente. L'activité de ponte se prolonge depuis la fin avril jusqu'au milieu de juillet, mais son point culminant est généralement en mai et au début de juin. Les œufs éclosent environ 10 jours suivant la ponte. Dès leur éclosion, les larves s'enfoncent vers le bas de la tige pour se nourrir de l'écorce, causant la mort

Charançon du pin blanc.

de la tige. La transformation en nymphe a lieu dans la flèche. Les adultes émergent en août et en septembre et se nourrissent pendant quelque temps avant de partir à la recherche d'un endroit pour passer l'hiver.

CONTRÔLE

• Coupez et détruisez la flèche (la branche terminale) du pin ou de l'épinette affectée qui prend une couleur orangée et forme comme une « houlette de berger ».

CHAT DOMESTIQUE
Felis catus / Cat

EFFET BÉNÉFIQUE

Les chats peuvent contrôler les mulots et campagnols sur la propriété.

EFFETS INDÉSIRABLES

Les chats font des dégâts dans le jardin en faisant leurs besoins dans le potager, spécialement dans les nouveaux lits de semences, fraîchement travaillés. Ils ont aussi le défaut de s'attaquer à plusieurs espèces d'oiseaux.

CONTRÔLE

• Mettez un grillage à poule sur les lits de semences.

• Plantez de la rue (Ruta graveolens) dans les endroits où vous voulez éloigner les chats.

• Couvrez les sols nus de paillis organiques ligneux (BRF, cocottes de pin).

Mignons les petits chats… mais pas dans nos semis !

• Un chien permet de les tenir à l'écart.

• Utilisez un répulsif à chat (comme « fiche le camp ») ou préparez la recette suivante tirée du livre « Potions magiques* » et appliquez dans les endroits où vous voulez éloigner les chats :

30 ml de poivre de cayenne

45 ml de moutarde forte en poudre

75 ml de farine

2 l d'eau

* Bérubé. C. et al. *Potions magiques.* Collection Terre à terre.

CHENILLES
Caterpillars

Insectes broyeurs qui sont, en fait, le stade larvaire des lépidoptères (papillons). Corps mou. Dimensions, couleurs et appendices variés selon l'espèce.

CYCLE DE VIE

La phase larvaire (chenille) du papillon ne ressemble absolument pas à l'adulte. En fin de cycle, la chenille se transforme en chrysalide, qui donnera un peu plus tard l'insecte adulte (papillon).

EFFETS INDÉSIRABLES

Elles dévorent le feuillage des plantes en laissant des trous de dimensions et de formes variables. Elles peuvent défolier complètement une plante lorsqu'elles sont nombreuses (ex.: chenilles à tente). Elles souillent les végétaux de leurs excréments.

PLANTES AFFECTÉES

La plupart des plantes herbacées et ligneuses, ornementales, potagères ou fruitières.

COMMENTAIRES

Généralement, les attaques des chenilles sont spécifiques à une espèce ou à une famille botanique. Certaines, comme les pyrales, s'attaquent néanmoins à une grande diversité de plantes.

CONTRÔLE

- Coupez et détruisez les chenilles de la branche atteinte dans le cas de chenilles à tente (*Malacosoma americana*).

- Pulvérisez avec du Btk (*Bacillus thuringiensis* variété Kurstaki), sur les plantes ou les arbres affectés. La mort des chenilles survient environ une semaine après le traitement.

- Encouragez les oiseaux insectivores (nichoirs pour hirondelles) qui effectuent un bon contrôle.

LOUISE TANGUAY

CHIENS
Dogs

EFFETS INDÉSIRABLES

Les chiens peuvent causer beaucoup de dégâts sur un terrain en grattant le sol ou en urinant sur la pelouse et autres plantes. Sur la pelouse, l'urine provoque des plaques rondes de pelouse morte, variant du jaune au brun foncé, souvent entourées de pelouse verte plus sombre.

Une belle pelouse avec un chien? Tout un défi!

CONTRÔLE

- Clôturez une partie du terrain réservée au chien.

- Arrosez immédiatement et abondamment là où le chien a uriné.

L'urine de chien donne un excès d'engrais au gazon.

- Sursemer rapidement les endroits dégarnis pour éviter que des plantes indésirables ne s'y installent.

- Dressez le chien pour qu'il fasse ses besoins toujours au même endroit.

- Appliquez le répulsif suivant (tiré du livre «*Potions magiques») dans les endroits à protéger:

Mélangez:

1 gousse d'ail hachée

1 oignon haché

1 litre d'eau chaude

5 ml de tabasco

15 ml de poivre de cayenne

Laissez reposer 12 h, filtrez et arrosez les endroits où le chien fait des dégâts ou marque son territoire.

• Bérubé. C. et al. *Potions magiques*. Collection Terre à terre.

CHRYSOPES
Chrysoperla spp.

Insecte délicat (2 à 20 mm) vert ou brun, avec une petite tête, de grands yeux, des ailes transparentes avec des nervures et de longues antennes. Larves fusiformes brunes ou jaunes. Elles portent une paire de mandibules allongées vers l'avant avec laquelle elles attrapent leurs proies. Les œufs sont pondus sur de fins supports.

JEAN-YVES BERNOUX

CYCLE DE VIE

Le stade d'hibernation varie chez les larves, les pupes ou les adultes selon le groupe. Les adultes pondent leurs œufs au printemps près des colonies de proies. Les œufs éclosent en 4 à 7 jours, les larves se nourrissent pendant environ 3 semaines. Il y a 3 à 4 générations par an.

EFFETS BÉNÉFIQUES

Les larves de tous les stades sont des prédateurs généralistes très voraces qui consomment de nombreux insectes nuisibles.

COMMENT LES ATTIRER

Planter des fleurs riches en nectar et en pollen (voyez l'annexe), prévoyez un point d'eau comme un bain d'oiseau. On peut également se les procurer chez des producteurs d'insectes (voyez *Prédateurs* dans Ressources).

CICADELLES
Leafhoppers

Les adultes sont le plus souvent verts ou bruns. Une espèce présente des rayures rouges et bleues voyantes. Ils ont une forme conique et mesurent de 2 à 8 mm de long. Ils sautent et disparaissent en volant rapidement lorsqu'ils sont dérangés.

BERNARD DROUIN, MAPAQ

**Cicadelle à ligne rouge
(*Graphocephala coccinea*).**

Cicadelle de l'aster (*Macrosteles fascifrons*).

CYCLE DE VIE

Les adultes sont transportés par les vents du sud à la fin mai ou en juin. Ils pondent leurs œufs sur les céréales ou autres cultures (pomme de terre, carotte, céleri, laitue... etc). Les œufs éclosent après 10 à 14 jours et les nymphes se nourrissent sur les cultures pendant 2 à 3 semaines. Deux à cinq générations par an.

EFFETS INDÉSIRABLES

Les cicadelles sucent la sève d'une grande variété de plantes, légumes et fleurs, provoquant des brûlures, des décolorations, voire la chute prématurée des feuilles. Elles sont souvent porteuses de maladies virales et à phytoplasmes importantes (ex: jaunisse de l'aster, phyllodie du trèfle).

PLANTES AFFECTÉES

Caragana, aubépine, peuplier, pommetiers, rhododendron, rosier, famille descomposées.

CONTRÔLE

• Vaporisez avec un savon insecticide en vous assurant de bien arroser tous les insectes.

• Plantez des variétés résistantes aux cicadelles.

• Enlevez les débris de plantes au sol à l'automne pour diminuer les stades hibernants.

Coccinelle, à 13 points, *Hippodamia tredecimpunctata*, adulte.

COCCINELLES
Ladybugs

Insectes ronds et luisants (0,2 à 1,2 cm) avec des pattes et des antennes courtes. Les espèces les plus communes sont rouges, orangées ou jaunâtres avec ou sans points noirs. Certaines espèces sont noires avec ou sans points rouges. Les larves sont fusiformes, segmentées avec des protubérances ressemblant à des plaques de crocodiles.

CYCLE DE VIE

La coccinelle est un insecte à métamorphose complète. Au printemps, les adultes sortent de leur abri d'hiver pour s'accoupler. Les œufs sont fixés en petits groupes sur la surface inférieure des feuilles. Les œufs sont souvent pondus à proximité d'une colonie de pucerons, qui serviront de nourriture aux jeunes. L'éclosion a lieu trois à cinq jours après la ponte. La larve ressemble à un minuscule crocodile, d'abord gris clair puis noir tacheté de jaune, orange ou rouge, orné d'épines et de tubercules. La larve mue trois fois en deux semaines environ. La dernière mue, qui donne naissance à l'adulte, se produit environ une semaine plus tard ; à ce stade l'insecte immobile est souvent accroché à une structure ou une plante. L'insecte adulte est d'abord jaune pâle. Il faut attendre quelques heures pour voir apparaître la couleur définitive de ses élytres (ailes cornées qui recouvrent la deuxième paire d'ailes). En octobre, les adultes se regroupent et cherchent ensuite un abri pour l'hiver.

EFFETS BÉNÉFIQUES

Les larves et les adultes se nourrissent

BERNARD DROUIN, MAPAQ

Coccinelle à 13 points, *Hippodamia tredecimpunctata,* larves.

de pucerons et autres ravageurs à corps mou. Certaines espèces préfèrent les cochenilles ou les acariens.

EFFETS INDÉSIRABLES

Certaines coccinelles ont été introduites en grand nombre pour contrôler des ravageurs dans les cultures et se sont répandues au détriment de nos espèces indigènes. La dernière venue, la coccinelle asiatique (*Harmonia axyridis*) peut tenter d'entrer dans les maisons à l'automne, alors que de grandes cohortes d'individus se réunissent pour passer l'hiver. Il faut boucher toutes les fentes et fissures, partout où elles pourraient s'introduire, ou passer l'aspirateur pour s'en débarrasser si elles parviennent à entrer.

ÉDITH SMEESTERS

Kermès sur *Schefflera*.

COCHENILLES ET KERMÈS
Mealybugs, scale

Les cochenilles sont des insectes piqueurs-suceurs. Les femelles ont le corps mou et ovale (4 mm), recouvert d'un duvet cireux floconneux ayant l'apparence d'une ouate. Elles se déplacent lentement et se regroupent souvent en colonies sous les feuilles, sur les tiges ou sur les racines. Les kermès sont des cochenilles protégées par une carapace dure ressemblant à une écaille.

EFFETS INDÉSIRABLES

Les cochenilles se nourrissent de la sève des plantes, causant leur affaiblissement et le jaunissement de leurs feuilles. Sur les plants fortement infestés, on peut également observer une chute prématurée des feuilles et des fruits. La présence d'une sécrétion collante sur les feuilles ou au sol est un symptôme d'une forte infestation.

PLANTES AFFECTÉES

Les cochenilles s'attaquent aux plantes d'intérieur, mais aussi à certains arbres comme les pommiers, cerisiers (cochenille de San José), lilas, frênes, rosiers, cotonéasters (cochenille virgule) et aux conifères (lécanie de Fletcher).

CONTRÔLE

• Placez les plantes infestées en quarantaine loin des autres plantes ou détruisez-les.

• Introduisez des coccinelles prédatrices *(Cryptolaemus montrorizieri)* qu'on peut se procurer chez Koppert ou NIC (voyez les Ressources).

• Rincez les plantes à grande eau.

• Pulvérisez de l'huile de dormance au printemps, après que tout risque de gel soit écarté.

• Pulvérisez du savon insecticide à la pyréthrine ou mélangé à de l'alcool à friction à raison de 15 ml d'alcool pour 500 ml de savon déjà dilué (10 ml de savon insecticide concentré pour 500 ml d'eau) ou prêt à l'emploi. Plusieurs applications espacées de 2-3 jours peuvent être nécessaires.

• Pulvérisez la même recette que ci-dessus sur les stades rampants aussi.

COULEUVRES
Snakes

EDITH SMEESTERS

La longueur des couleuvres terrestres du Québec est très variable selon les espèces, la plus grande étant la couleuvre tachetée (*Lampropeltis triangulum*) qui peut atteindre 1,3 m, quoique la majorité dépasse rarement plus de 90 cm. La plus commune est la couleuvre rayée (*Thamnophis sirtalis*), qui peut atteindre 1 m et qui porte trois rayures de lignes jaunes (une dorsale et deux latérales) sur un motif sombre (brun ou noir) mais les rayures peuvent être oranges, rouges, blanches, bleutées ou verdâtres.

Les couleuvres vertes (*Liochlorophis vernalis*), à collier (*Diadophis punctatus*) et tachetée sont ovipares, les autres sont ovovivipares (incubation de l'œuf dans la couleuvre). Les femelles choisissent des endroits chauds et humides comme des souches ou des troncs d'arbre en décomposition, des tas de compost ou de débris et, parfois des tas de fumier, pour la couleuvre tachetée.

EFFETS BÉNÉFIQUES

Les couleuvres sont de grands insectivores, mais leur menu se compose aussi de vers de terre, araignées, grenouilles, têtards, crapauds, souris, parfois de limaces ou d'autres couleuvres d'après les espèces.

ENNEMIS

Les couleuvres ont plusieurs ennemis : des oiseaux de proie aux hérons, corneilles, raton laveur, moufette rayée, renard roux, coyote mais aussi d'autres couleuvres (rayée et tachetée) qui n'hésitent pas à attaquer une congénère, même plus grosse qu'elle. Le chat et le chien peuvent à l'occasion attaquer la couleuvre rayée, car elle est assez commune près des habitations.

COMMENT LES ATTIRER

Les couleuvres passeront l'hiver dans des cavités rocheuses assez profondes, à l'abri du gel. Les horticulteurs peuvent aider à leur survie en leur fabriquant des abris naturels, par exemple : des sono-tubes remplis de roches rondes et de mousse de tourbe, le tout recouvert d'une grande roche qui agira comme une sorte de couvercle et de chauffe-pierres le printemps et l'été. Le tube, idéalement placé dans un monticule, devra être suffisamment profond pour se situer sous le niveau du gel tout en étant au-dessus de la nappe phréatique.

Les chauffe-pierres à couleuvres sont des monticules de roches rondes et pla-tes orientées idéalement du sud-est vers le sud-ouest. La hauteur du monti-cule devrait s'approcher d'un mètre de haut et peut servir aussi de rocaille dé-corative.

ÉDITH SMEESTERS

CRAPAUD D'AMÉRIQUE
Bufo americanus / American toad

De teinte très variable, le crapaud d'Amérique, habituellement brun ou beige, peut-être jaune, rougeâtre, verdâtre, ou presque noir. Le corps est couvert de verrues brunes, jaunâtres ou rougeâtres. Sa taille maximale est de 11.5 cm.

Les chants commencent au cœur du prin-temps. Les étangs, les bordures de lacs et de rivières, et plusieurs autres milieux humides servent à la ponte.

EFFETS BÉNÉFIQUES

Le crapaud d'Amérique est un prodi-gieux mangeur d'insectes (fourmis, han-netons), de limaces, d'araignées, etc.

COMMENT LES ATTIRER

Prévoyez un point d'eau où les adultes pourront pondre mais de grâce ne fil-trez pas votre plan d'eau comme votre piscine. Disposez de pierres plates légèrement surélevées sous les-quelles les crapauds pourront s'abri-ter. Pour leur faciliter la survie durant l'hiver (car le crapaud doit s'enfouir), lui aménager des trous remplis d'un mélange de sable et de mousse de tourbe sous de grandes pierres dans un monticule légèrement surélevé (on ne veut pas les noyer quand même). Prévoyez-leur des abris dans le jardin comme de vieux pots de grès cassés et renversés, etc.

CRIOCÈRE DU LIS
Lilioceris lilii / Lily Leaf Beetles

RENÉ LIMOGES, INSECTARIUM DE MTL.

Les adultes (6-7 mm) sont de couleur rouge vif avec la tête noire. Les larves (8-9 mm) sont visqueuses et de couleur orange, mais elles se camouflent sous leurs propres excréments noirs.

CYCLE DE VIE

Le criocère du lis passe l'hiver sous forme adulte, enfoui sous terre. Il sort au printemps pour s'accoupler, puis la femelle pond environ 300 œufs sur les feuilles de ses plantes favorites : des lis et autres fleurs apparentés. L'éclosion survient après une à deux semaines. Les larves se forment une enveloppe de mucus et d'excréments noirâtres qu'elles transportent constamment avec elle. Le développement jusqu'à l'état adulte dure environ 3 semaines. Pour leur dernière transformation en nymphe, les larves se laissent tomber au sol et s'y enfouissent pour y subir leur transformation. Après 4 ou 5 semaines les adultes émergent vers la fin juin ou le début juillet. Il y a une à deux générations par année.

EFFETS INDÉSIRABLES

Les larves et les adultes dévorent les feuilles, les fleurs et les graines des lis et autres plantes apparentées. Les plants gravement infestés peuvent perdre rapidement toutes leurs feuilles.

PLANTES AFFECTÉES

Lis, fritillaires et fleurs apparentées, incluant les espèces indigènes (sceau-de-salomon, streptoptes, smilacines).

PRÉVENTION

• Évitez les collections de lis ou surveillez étroitement l'apparition des criocères.

• Masquez l'odeur des plants vulnérables en les vaporisant d'un extrait de tanaisie.

• Enlevez et brûlez les débris végétaux, en automne, où les criocères peuvent passer l'hiver.

• Couvrez les jeunes plants en début de saison avec des toiles flottantes (fin tissus transparents).

CONTRÔLE

• Commencez la surveillance tôt au printemps, ramassez les insectes à la main et noyez-les dans de l'eau savonneuse.

• Pulvérisez les larves avec de la pyréthrine.

COMMENTAIRE

Les adultes, lorsqu'on les capture, émettent un petit bruit strident mais ils sont inoffensifs.

EDITH SMEESTERS

DORYPHORE
Leptinotarsa decemlineata / Colorado Potato Beetle

Les adultes sont des insectes ronds et luisants, qui sont souvent confondus avec les coccinelles. Ils mesurent environ 1 cm de long et sont jaunes, rayés de lignes noires dans le sens de la longueur. Ils ont un thorax orange tacheté de points noirs. Les larves sont dodues, luisantes, orange foncé, avec une double rangée de taches noires sur chaque côté. Elles mesurent environ 2 mm de long.

CYCLE DE VIE

Les œufs ovoïdes sont déposés en grappes sur la face inférieure des feuilles. Les femelles produisent environ 1000 œufs en l'espace de quelques mois. Les larves se nourrissent pendant deux à trois semaines pour se métamorphoser en pupes dans le sol. Elles seront adultes cinq à dix jours plus tard. On peut compter deux générations par saison dans nos régions. Une génération passe l'hiver dans le sol, souvent en lisière de boisés, pour ressortir au printemps.

EFFETS INDÉSIRABLES

Les adultes et les larves mangent les feuilles des plants de pomme de terre, de tomates, d'aubergines et de piments. Ils mangent aussi les pétunias.

PRÉVENTION

• Couvrez vos plants d'un paillis de paille propre d'environ deux à trois pouces d'épaisseur dès la première apparition.

• Couvrez les jeunes plants avec des toiles flottantes en début de saison.

• Attirez des prédateurs et les parasites naturels en laissant fleurir des plantes qui attirent les insectes (voyez l'annexe).

CONTRÔLE

• Détruisez les masses d'œufs de couleur orangée sous les feuilles en juin, en les écrasant entre le pouce et l'index.

• En début de saison, attirez les adultes avec des patates coupées laissées au sol et éliminez les individus capturés en les noyant dans de l'eau savonneuse.

• Faites des tranchées recouvertes de plastiques, ce qui est un moyen de capturer les doryphores qui migrent au sol.

• Si c'est possible, éliminez les adultes et les larves en les faisant tomber dans un sceau d'eau savonneuse.

- Vaporisez un savon insecticide à la py-réthrine.

- Libérez des larves de coccinelles ou des punaises prédatrices achetées dans le commerce (voyez *Prédateurs* dans Ressources).

PHOTOS : LOUISE TANGUAY

Œufs de doryphore.   **Stade larvaire du doryphore.**

- Arrosez le sol avec des nématodes bénéfiques pour tuer les larves (voyez *Nématodes*).

- Plantez du Datura *(Datura stramonium)* comme plante compagne aux plants de pomme de terre. C'est une annuelle ornementale aux belles fleurs qui attirera les doryphores de votre jardin et empoisonnera les larves qui tenteront de s'en nourrir.

- Brûlez le feuillage, avec une torche au gaz propane, 2 à 3 semaines avant la récolte, ce processus favorise la maturation des tubercules de pommes de terre et détruit les doryphores qui se préparent à passer l'hiver.

ÉCUREUIL GRIS
Sciurus carolinensis / Gray Squirrel

Plusieurs espèces d'écureuils vivent au Québec, mais c'est l'écureuil gris qui se multiplie le plus en milieu urbain. Ces écureuils peuvent être charmants, à moins qu'ils ne monopolisent vos distributeurs de graines pour les oiseaux ou qu'ils ne grugent votre maïs sucré. Grimpeurs et sauteurs incomparables, ils sont aussi capables de se creuser un chemin sous une clôture qui entrave leur course.

EDITH SMEESTERS

Les écureuils deviennent de plus en plus envahissants en ville, où ils profitent des graines offertes aux oiseaux.

EFFETS INDÉSIRABLES

Les écureuils se nourrissent des graines destinées aux oiseaux, sans compter les œufs et les oisillons. En fait, la première cause de la limitation des populations d'oiseaux insectivores en milieu urbain (paruline, viréos, etc.) est due aux écureuils. Ils peuvent manger les fruits et légumes du jardin s'ils n'ont rien d'autre à se mettre sous la dent, mais ils s'attaqueront volontiers à vos bulbes de tulipes et autres, même avec un estomac bien rempli car ils les utiliseront pour en faire des provisions. Ils broutent les bourgeons et rongent l'écorce de divers arbres et arbustes et lèchent la sève des érables.

PRÉVENTION

- Placez un pare-écureuils à vos mangeoires d'oiseaux.

- Achetez des mangeoires à l'épreuve des écureuils.

- Mettez un grillage à poule sur les lits de semences ou de bulbes pour les empêcher de les déterrer.

- La farine de sang semble les éloigner des parterres.

- Pulvérisez un répulsif dans les endroits que vous voulez protéger : 30 ml de poivre de Cayenne et 5 ml de savon à vaisselle dans 4 litres d'eau. Laissez reposer 12 h et pulvérisez*.

CONTRÔLE

Un piège de type «Havahart» avec un appât de beurre d'arachide peut s'avérer votre dernier recours si vous ne pouvez plus les tolérer dans votre entourage. Relocalisez-les à au moins 15 ou 20 km de chez vous et pas en milieu urbain où ils peuvent causer les mêmes problèmes.

THÉRÈSE ARCAND, RESS. NAT. CANADA

ESCARGOTS
Snails

Les escargots du jardin sont un groupe d'espèces possédant une coquille complète entourant leur corps. Ils partagent plusieurs caractéristiques biologiques avec les limaces (yeux au bout des antennes, une semelle sous laquelle est secrété un mucus qui aide à leurs déplacements, contraction lorsque dérangés, etc.).

---

* Extrait de Bérubé. C. et al. : *Potions magiques.*

CYCLE DE VIE

Les adultes pondent les œufs sur un sol humide ou sous des roches. Les œufs éclosent en deux à quatre semaines, les jeunes escargots se développent pendant cinq mois à un an avant d'atteindre la maturité. Ils grimpent sur les plantes, à la recherche de bactéries et parfois de champignons microscopiques se trouvant sur leur surface. Ils sortent le soir, mais ils peuvent aussi être actifs le jour. Contrairement aux limaces, les escargots du Québec ne mangent pas les plantes et ils n'occasionnent pas de dégâts directement. Toutefois, les escargots peuvent dissé miner certains champignons (comme les moisissures) lorsqu'ils en rencontrent sur leur chemin. Dans l'ensemble, les escargots sont bénéfiques.

PRÉVENTION

• Mettez du paillis autour de tous vos plants car le fait de passer de longues minutes à escalader les obstacles (à la vitesse de leur déplacement) incite les escargots à changer de chemin. Les paillis servent aussi de refuges à des carabes spécialisés qui se nourrissent d'escargots.

• Favorisez la venue de carabes en plaçant des pierres plates surélevées sous lesquelles ils se réfugieront le jour.

FOURMIS
Ants

Il existe une grande diversité de fourmis. De façon générale, ce sont de petits insectes de 1 à 15 mm de long, qui vivent en colonies organisées et constituées de plusieurs castes d'individus aux rôles spécifiques.

CYCLE DE VIE

Les fourmis sont des insectes à métamorphose complète, mais le cycle est différent d'après les espèces. En général, la reine s'accouple avec un seul

THÉRÈSE ARCAND, RESS. NAT. CANADA

**Fourmi charpentière
(*Camponotus herculanus*).**

mâle, elle cherche ensuite un endroit propice pour installer sa colonie et pondre ses œufs blancs. La durée de développement, de l'œuf à la fourmi adulte, varie de 48 à 74 jours selon les espèces et les conditions du milieu. Les larves ressemblent

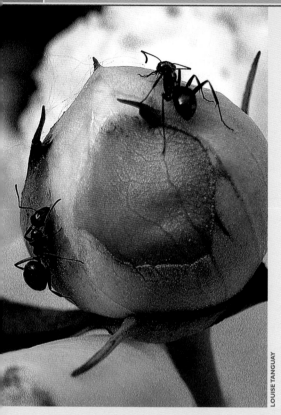

LOUISE TANGUAY

Fourmis sur bourgeon de pivoine.

après l'accouplement. Les futures reines se mettent en quête d'un site convenable pour établir leur propre colonie.

EFFETS BÉNÉFIQUES

De façon générale, les fourmis nord-américaines sont de bons prédateurs qui causent rarement des dommages aux végétaux. Plusieurs espèces se nourrissent de nombreux ravageurs des jardins ainsi que de leurs œufs (entre autres ceux des hannetons ou vers blancs).

EFFETS INDÉSIRABLES

Les fourmis peuvent devenir nuisibles dans certaines circonstances. Celles qui prolifèrent dans les pelouses affectionnent les sols sablonneux, leur nid peut former des monticules et détruire le gazon localement.

à de petits vers blancs. Arrivé à la fin de sa vie larvaire, l'insecte tisse un cocon à l'intérieur duquel la larve se transforme en nymphe. Après quelques jours, l'adulte émerge de son enveloppe protectrice. En mai ou en août selon les espèces, si les conditions climatiques sont favorables, les mâles ailés émettent une substance chimique qui donne le signal de départ. Toutes les fourmis ailées sortent du nid et s'envolent, généralement lors d'une journée chaude et sans vent. Les mâles meurent peu

Certaines espèces protègent les pucerons dont elles mangent le miellat sucré, cela peut donc favoriser des infestations de pucerons. D'autres peuvent aussi s'attaquer aux fruits abîmés ou aux arbres blessés pour y construire les galeries de leurs nids. Par ailleurs, d'autres espèces entrent dans les maisons par les fissures et contaminent les réserves de nourriture. Certaines (fourmis charpentières) peuvent creuser des galeries dans le bois de charpente des habitations si celui-ci est déjà altéré (pourriture). Enfin, quel-ques-unes peuvent piquer ou mordre lorsqu'elles se sentent menacées mais cela demeure sans conséquence sous nos latitudes.

PRÉVENTION

• Pour les fourmis de pelouse : modifiez la texture du sol en ajoutant du com-post et du limon régulièrement afin de favoriser des conditions humides qu'elles n'aiment pas.

• Plantez près de la maison des espèces qui ont une odeur forte comme la menthe, la tanaisie ou l'absinthe.

• Dispersez des feuilles de fougères, de tomate, de lavande, de marjolaine, de sureau ou des rondelles de citron dans les endroits fréquentés par les fourmis.

• Bouchez toutes les fissures par où les fourmis pourraient entrer dans la maison, spécialement les joints au-tour des fenêtres.

• Éliminez les restes de nourriture sur le sol.

CONTRÔLE DES FOURMIS DANS LE JARDIN

• Dans les endroits où c'est praticable, ébouillantez les fourmilières à plu-sieurs reprises pour réduire les po-pulations sur votre terrain.

• Pulvérisez le nid avec une solution de piments forts : faites bouillir 250 ml de piments forts pour 1 litre d'eau, ver-sez directement sur le nid.

• Appliquez une bande de colle «tan-glefoot» (disponible en jardinerie) sur les troncs des arbres infestés.

• Placez des pièges d'acide borique sur l'itinéraire des fourmis.

• Utilisez du savon insecticide au bo-rax, vendu commercialement.

• Étendez de la cendre de bois ou de la chaux près des plantes affectées. Ré-pétez après la pluie, mais pas auprès des plantes acidophiles.

CONTRÔLE DES FOURMIS DANS LA MAISON

• Pulvérisez de la terre diatomée dans toutes les fissures qui servent de porte d'entrée aux fourmis et bou-chez-les. N'utilisez pas la terre dia-tomée à l'extérieur car elle détruit une très grande quantité d'organis-mes utiles. De plus, elle est inefficace lorsqu'elle est mouillée.

• Mettez des appâts à fourmis au borax sur leur itinéraire.

• Assurez-vous que le bois de char-pente de votre maison soit protégé de l'humidité.

GRILLONS
Gryllus spp., *Acheta* spp. / Crickets

De type broyeur, les grillons sont des insectes noirs ou bruns ne mesurant pas plus de 13 mm de long. Ils portent de longues antennes et des pièces buccales munies de puissantes mandibules. Leurs pattes postérieures sont spécialisées pour le saut comme celles des sauterelles. L'abdomen se termine par deux filaments sensoriels appelés cerques. Ces insectes omnivores se nourrissent entre autres de feuilles, de graines, de fruits et d'autres insectes morts ou vivants.

RENÉ LIMOGES, INSECTARIUM DE MONTRÉAL

CYCLE DE VIE

La femelle pond ses œufs dans le sol. De minuscules grillons semblables aux adultes, mais sans d'ailes, émergent quelques jours plus tard. Ce n'est qu'après plusieurs mues que les jeunes grillons atteignent le stade adulte, avec des ailes complètes et des organes reproducteurs fonctionnels.

EFFETS BÉNÉFIQUES

Les grillons indigènes peuvent consommer des pucerons et d'autres insectes nuisibles à l'occasion. Ils sont mangés aussi par de nombreux animaux, dont les oiseaux et les grenouilles qui sont des prédateurs actifs de nombreux insectes nuisibles du jardin. Les nuits d'été, les grillons mâles produisent un chant mélodieux caractéristique qui est propre à leur espèce et qui est produit en frottant leurs ailes antérieures ensemble.

EFFETS INDÉSIRABLES

Le grillon domestique (*Acheta domesticus*) peut parfois se reproduire dans les maisons ou autres bâtiments où il trouvera nourriture et chaleur. Il peut occasionnellement s'attaquer aux réserves de nourriture ou aux vêtements mais c'est rarissime. Dans les maisons, les grillons dérangent surtout par leur chant sonore et répétitif... principalement la nuit.

PRÉVENTION

• Ramassez tout reste de nourriture sur le sol et éliminez les déchets rapidement.

• Si c'est possible, abaissez la température pour les déloger des endroits à contrôler.

CONTRÔLE

• Appliquez de la terre diatomée dans les lieux où les grillons sont observés.

GUÊPES À PAPIER *Vespula spp., Dolichovespula* spp., *Polistes* spp. / Yellow Jacket, Hornet or Paper wasp

Les guêpes à papier mesurent entre 10 et 25 mm de long environ, en fonction des espèces. Leurs antennes sont coudées et leurs pièces buccales sont de type broyeur-lècheur. Leur corps est élancé, peu poilu comparativement à celui des abeilles ou des bourdons. Il est orné de motifs généralement noir et jaune, parfois noir et blanc. Ce sont des insectes carnivores très utiles qui dévorent une quantité impressionnante d'insectes nuisibles durant l'été. Les guêpes à papier sont aussi très friandes de produits sucrés ou de fruits mûrs se décomposant au sol, comme des

RENÉ LIMOGES, INSECTARIUM DE MONTRÉAL

Guêpe poliste (*Polistes* spp.).

pommes. Elles ne piquent que lorsqu'elles se sentent menacées, mais leur interprétation de la menace n'est pas toujours la nôtre et il suffit parfois de passer à côté d'un nid qu'on ignore pour se faire piquer.

CYCLE DE VIE

La reine hiberne sous l'écorce ou se cache dans les fissures d'un arbre. Au printemps elle se réveille et cherche à construire son nid, dans le sol, dans une branche d'arbre, dans une vieille bûche, ou sur les maisons. Elle construit son nid en fabriquant une pâte à papier faite de fibre et de bois mâchés avec de la salive. Elle construit d'abord quelques alvéoles pour abriter les œufs qu'elle va pondre. Ensuite elle s'occupera des larves jusqu'à l'apparition des premières ouvrières, au bout de trois semaines. Ainsi, au fur et à mesure que la colonie se développe, la seule fonction de la reine sera de pondre.

Quant aux individus sexués (mâles et futures reines), ils ne sortiront qu'à la fin de l'été et en automne. Après l'accouplement, seules les nouvelles reines survivront à l'hiver. Toute la colonie meurt en hiver et le nid vide ne sert plus l'année suivante.

PRÉVENTION

• Ne laissez pas traîner de nourriture dehors, surtout de la viande et des boissons sucrées.

• Fermez bien les portes, les moustiquaires et le couvercle des poubelles dehors.

• Posez des pièges à guêpes pour détourner leur attention et ne pas être

PHOTO EDITH SMEESTERS

Piège à guêpes.

dérangé. Utilisez un appât sucré ou protéiné : jus de fruit, sirop, nourriture pour chien, jambon, etc.

• Si vous ne pouvez le déplacer de façon sécuritaire, détruisez toute ébauche de nid avec du savon insecticide en inspectant régulièrement le tour de la maison.

CONTRÔLE

Pulvérisez un insecticide à faible impact, tel que du savon à la pyréthrine, dans le guêpier. Il est habituellement conseillé d'effectuer ces pulvérisations à la tombée du jour, car les guêpes sont moins actives la nuit. Une lampe de poche munie d'un filtre rouge procure suffisamment d'éclairage sans accroître l'activité des guêpes car elles ne voient pas cette couleur. Le port de vêtements protecteurs est de rigueur lorsqu'on s'attaque à un nid de guêpe.

COMMENT DÉTRUIRE UN NID DE GUÊPE

Faites appel à un professionnel, mais demandez-lui d'utiliser du savon insecticide qui sera amplement suffisant pour tuer les insectes.

Si vous décidez d'agir vous-même, faites-le après le coucher du soleil et portez un survêtement pour apiculteur :

• Pulvérisez directement à l'intérieur du nid un mélange de 10 % de savon insecticide et de 90 % d'eau. Après 30 secondes, les guêpes seront mortes.

• Enfermez le nid dans un sac de plastique et détachez le pédoncule qui le rattache à l'arbre ou tout autre support. Renforcez votre sac avec un autre sac de plastique pour éviter qu'elles ne sortent et enfoncez le sac dans un sceau d'eau, ensuite, percez-y des petits trous pour les noyer.

• Utilisez un aspirateur pour attraper les guêpes à l'entrée du nid, aspirez aussi un peu de pyréthrine pour les tuer rapidement.

SANTÉ

Comment éviter d'être piqué ?

• Évitez les parfums, déodorants et les vêtements de couleurs vives lorsque vous allez dehors.

• Si une guêpe vous approche, évitez tout mouvement brusque.

• Évitez de manger dehors à proximité d'un nid de guêpes.

Vous avez été piqué ?

• Lavez la piqûre avec du savon.

- Mettez de la glace, une compresse d'eau salée ou une crème antihistaminique.

- En pleine nature, frottez la piqûre avec des feuilles de plantain ou faites un cataplasme de boue.

Êtes-vous hypersensible aux piqûres de guêpes ?

- Entreprenez un traitement préventif.

- Fuyez les endroits qui peuvent attirer les guêpes. Ex : pique-nique.

- Portez toujours un antidote sur vous.

GUÊPES BRACHONIDES
Braconid Wasps

Petites guêpes (2-13 mm) très minces, noires ou brunes avec une taille mince comme un fil et de longues antennes. Les femelles ont un long appendice dépassant leur abdomen, avec lequel elles pondent leurs œufs.

THÉRÈSE ARCAND, RESS. NAT. CANADA

Bracon du pin, **B**racon **pini : femelle adulte.**

CYCLE DE VIE

La femelle injecte les œufs dans le corps des insectes. Après l'éclosion des œufs, les larves se nourrissent de leur hôte. Au moment où son hôte meurt, la larve est parvenue à sa pleine croissance. Elle se transforme en pupe à l'intérieur ou à proximité de l'hôte mort, quelquefois dans un cocon de soie, pour apparaître ensuite sous forme de guêpe adulte. Il y a plusieurs générations par an.

EFFETS BÉNÉFIQUES

Ces guêpes contrôlent un grand nombre de ravageurs comme les chenilles, les pucerons et autres insectes.

COMMENT LES ATTIRER

- Plantez des plantes ornementales qui attirent les prédateurs (voyez l'annexe).

- Évitez les pesticides, ces guêpes y sont très sensibles.

THÉRÈSE ARCAND, RESS. NAT. CANADA

Micrograstrinae **spp. : pupe sur larve de l'arpenteuse bossue.**

HANNETON COMMUN
Phyllophaga anxia / June Beetle

BERNARD DROUIN, MAPAQ

Coléoptère trapu mesurant jusqu'à 2 cm et de couleur brun foncé ou noire, contrairement au hanneton européen qui est plus pâle et plus petit. Le hanneton commun possède également une pince bien visible au bout des premières pattes, alors que le hanneton européen n'en a pas.

Comme tous les hannetons, il possède des antennes courtes se terminant par une massue formée de lamelles et ses larves ressemblent à de grosses crevettes blanches en forme de C. Voyez le tableau.

Larves.

Cycle de vie des 3 types de vers blancs au Québec.

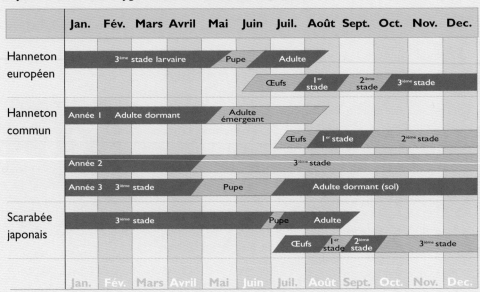

	Jan.	Fév.	Mars	Avril	Mai	Juin	Juil.	Août	Sept.	Oct.	Nov.	Dec.
Hanneton européen	3ème stade larvaire				Pupe	Adulte						
							Œufs	1er stade	2ième stade	3ième stade		
Hanneton commun Année 1	Adulte dormant				Adulte émergeant							
							Œufs	1er stade		2ième stade		
Année 2							3ième stade					
Année 3	3ième stade			Pupe			Adulte dormant (sol)					
Scarabée japonais	3ième stade					Pupe	Adulte					
							Œufs	1er stade 2ième stade		3ième stade		

D'après un tableau* réalisé par le ministère de l'agriculture et de l'alimentation de l'Ontario.

• Site internet : http://www.gov.on.ca/OMAFRA/english/crops/facts/97-023.htm

CYCLE DE VIE

La femelle dépose ses œufs dans une boule de terre dans le sol, les œufs éclosent deux à trois semaines plus tard, les jeunes larves se nourrissent alors de végétation en décomposition pendant le premier été, hibernent dans le sol, ensuite se nourrissent de racines de plantes le second été. Après un autre hiver, les larves se nourrissent jusqu'au mois de juin du troisième été, finissent par se transformer en pupe après deux à trois semaines, ensuite la forme adulte apparaît, mais demeure dans le sol jusqu'au printemps de la quatrième année.

EFFETS INDÉSIRABLES

Les larves se nourrissent des racines de gazon, du maïs, des pommes de terre et des jeunes végétaux fraîchement transplantés. Dans la pelouse, le gazon forme des plaques jaunes qui s'arrachent facilement. Les larves attirent aussi les mouffettes et les ratons laveurs qui font encore plus de dégâts que les vers eux-mêmes.

CONTRÔLE

Voyez *Vers blancs* page 143.

HANNETON EUROPÉEN
Amphimallon majalis / European Chafer

RENÉ LIMOGES, INSECTARIUM DE MONTRÉAL

Coléoptère trapu, brun clair, mesurant 1,5 cm. Il possède des antennes courtes se terminant par une massue formée de lamelles. Comme pour le hanneton commun, les larves ressemblent à de grosses crevettes blanches en forme de C. Voyez son cycle de vie à la page précédente.

CYCLE DE VIE

Au début de juin, l'adulte émerge du sol pour s'accoupler dans les arbres ou sur d'autres supports élevés. Environ deux semaines plus tard, la femelle retourne au sol pour pondre ses œufs vers la fin de juin et début juillet. Chaque femelle peut pondre entre 20 et 30 œufs, qui mettent de 2 à 3 semaines pour éclore. Les larves muent deux fois pour atteindre une taille d'environ 2 cm de long vers la fin de l'été. Celles-ci ressemblent alors à de grosses crevettes blanches. Les larves s'enfouissent dans le sol sous la ligne de gel pour passer l'hiver. Elles remontent très tôt vers la surface au printemps pour s'alimenter de nouveau dès la fonte des neiges. À la fin de mai ou au début de juin, elles redescendent profondément dans le sol pour se transformer en pupe puis en adulte.

EFFETS INDÉSIRABLES

Les larves se nourrissent des racines de gazon, du maïs, des pommes de terre et de jeunes végétaux fraîchement transplantés. C'est un ravageur majeur dans les pelouses de la région de Montréal et en Outaouais depuis quelques années. Comme avec le hanneton commun (un ravageur mineur), le gazon forme des plaques jaunes qui s'arrachent facilement. Les larves attirent aussi les mouffettes et les ratons laveurs qui font encore plus de dégâts que les vers eux-mêmes.

CONTRÔLE

Voyez *Vers blancs* page 143.

PIERRE COCHAUX, RESS. NAT. CANADA

Hercus fontinalus, **larves du parasitoïde sur une larve de la tordeuse à bandes obliques.**

ICHNEUMONS
Ichneumon Wasps

Ce sont des guêpes longues et minces (3-35 mm) avec de longues antennes. Dépendamment des espèces, elles ont des formes et des motifs variables de noir, d'orange et de jaune. Certaines espèces ont un long appendice filiforme plus long que leur corps pour déposer les œufs.

CYCLE DE VIE

Les femelles pondent leurs œufs dans le corps des chenilles, des coléoptères et autres espèces d'insectes. Une fois que l'hôte meurt, la larve de guêpe se développera à l'intérieur ou sur son corps. Plusieurs espèces hibernent sous la forme de larve mature dans un cocon, d'autres passent l'hiver au stade femelle adulte. Il y a une à trois générations par an.

EFFETS BÉNÉFIQUES

Ce sont des parasitoïdes qui détruisent de nombreux insectes ravageurs des jardins.

COMMENT LES ATTIRER

Plantez des fleurs riches en nectar et en pollen (voyez l'annexe).

LÉGIONNAIRES
Armyworms

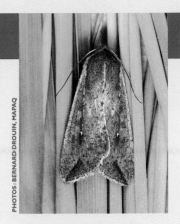

L'adulte est un papillon nocturne gris pâle avec un point blanc au centre de l'aile antérieure. Les chenilles (20 mm) sont vert pâle au début, ensuite gris-brun avec des lignes blanches sur les côtés et des lignes plus ou moins foncées sur le dos.

PHOTOS : BERNARD DROUIN, MAPAQ

Légionnaire d'automne,
Laphygma frugiperda.

CYCLE DE VIE

La larve (parfois la chrysalide) passe l'hiver dans le sol ou dans les débris végétaux autour des racines. Elle reprend sa nourriture au printemps, rentre ensuite dans la phase chrysalide pour deux semaines. Il y a deux à trois générations par an.

EFFETS INDÉSIRABLES

Les chenilles se nourrissent de plantes de jardin la nuit. Elles se cachent le jour.

CONTRÔLE

Voyez *Chenilles.*

Légionnaire d'automne, (*Laphygma frugiperda*) sur graminées.

ÉDITH SMEESTERS

LIMACES
Slugs

Les limaces sont des mollusques, tout comme les moules et les huîtres. Cependant, leur coquille est très réduite, voire presque inexistante, et elles ne possèdent pas de pied d'ancrage, tout au plus une semelle sous laquelle est secrété un mucus qui aide à leurs déplacements. Elles se nourrissent de jeunes feuilles, de fruits et de matériaux en décomposition, surtout lorsqu'il a plu. Ce sont d'excellents vidangeurs. Elles servent elles mêmes de nourriture aux oiseaux, crapauds, couleuvres, etc. Une infestation de limaces peut être le signe de la disparition de ces prédateurs naturels et/ou d'un terrain humide.

CYCLE DE VIE

Les adultes pondent leurs œufs sur un sol humide ou sous des roches. Les œufs éclosent dans deux à quatre semaines, les jeunes limaces se développent pendant cinq mois à un an avant d'atteindre la maturité.

ÉDITH SMEESTERS

Dégât de limaces sur hostas.

EFFETS INDÉSIRABLES

Elles dévorent le feuillage des plantes en laissant des trous aux dimensions et aux formes variables. Elles peuvent aussi s'attaquer aux fruits, aux tiges et aux tubercules.

PLANTES AFFECTÉES

De nombreuses espèces ornementales, potagères et fruitières. Spécialement: hostas, fraise, laitue, choux.

COMMENTAIRES

Dégâts importants en climat pluvieux, lorsque les plants sont serrés ou sont situés en bordure d'un boisé ou d'un fossé. Les limaces sont actives durant la nuit et par temps pluvieux. L'humidité est essentielle pour leurs déplacements et leurs activités de nutrition.

PRÉVENTION

- Mettez du paillis autour de tous vos plants. Le paillis sert d'abri aux limaces, mais aussi à une foule de prédateurs qui se chargeront d'effectuer un contrôle gratuit. De plus, les limaces préférant les matériaux en décomposition, elles vont se nourrir d'abord dans le paillis avant d'attaquer les plants sains.

- Remplacez vos hostas sensibles par des cultivars résistants ('Sum and Substance', 'Big Daddy', 'Invincible', 'Janet', 'Sieboldiana', 'Zounds').

CONTRÔLE

- Broyez des coquilles d'œufs et saupoudrez-en régulièrement autour des plants attaqués.

- Saupoudrez de la terre diatomée ou de la cendre dans les zones infestées.

- Posez des pièges à bière : soucoupes remplies de bière (ou de liquide sucré) posées au ras du sol, les limaces et escargots s'y noieront.

- Saupoudrez du sel sur les limaces lorsqu'elles sortent en soirée ou par temps couvert, cela les déshydrate rapidement.

- Piégez les limaces en mettant une planche de bois entre les rangées du jardin, elles s'y cacheront le jour et pourront être trouvées et détruites facilement.

- Le phosphate de fer semble très efficace.

LIVRÉE DES FORÊTS
Malacosoma disstria / Forest tent caterpillar

Chenille indigène en Amérique du Nord, qui s'attaque à nos feuillus. Elle préfère le peuplier faux-tremble *(Populus tremuloides)* mais, durant les infestations majeures, elle attaquera tous les types de feuillus, sauf l'érable rouge *(Acer rubrum)*. Dans les peuplements attaqués, on remarque la présence de chenilles brunes avec une ligne blanche sur les feuilles et les troncs. Hors-saison, ce sont des amas d'œufs en forme d'anneau que l'on peut apercevoir sur les branches des arbres.

CLAUDE MONNIER, RESS. NAT. CANADA

CLAUDE MONNIER, RESS. NAT. CANADA

Colonie larvaire de la livrée des forêts sur le tronc d'un peuplier faux-tremble.

CYCLE DE VIE

Les œufs sont pondus au milieu de l'été sur les branches des arbres. Les chenilles apparaissent tôt au printemps suivant et tissent un genre de voile à la surface des branches (comme les chenilles à tente auxquelles elles sont apparentées). Elles se nourrissent pendant trois à huit semaines et, à la fin de leur développement, tissent un cocon soyeux de couleur blanche dans lequel elles se transforment en chrysalides. Les papillons adultes émergent dix jours après. Il y a une génération par an.

EFFETS INDÉSIRABLES

Apparence désagréable du nid (toile). Les chenilles peuvent défolier complètement un arbre, mais généralement l'arbre reste en vie.

CONTRÔLE

• On peut écraser et détruire les amas d'œufs sur les branches.

• Le Btk est très efficace lorsqu'il est utilisé au bon moment, c'est à dire au moment où le feuillage atteint sa taille maximale.

• Les oiseaux insectivores effectuent un bon contrôle également.

LINA BRETON, MAPAQ

Longicorne noir, adulte.

LONGICORNES
Longhorned

Les longicornes sont des coléoptères facilement reconnaissables à leurs longues antennes, d'où leur nom de longicornes. Chez certaines espèces, les antennes peuvent atteindre plus de quatre fois la longueur du corps de l'insecte. La taille des longicornes est très variable, allant de 2 mm à 5 cm.

CYCLE DE VIE

Les œufs sont pondus dans les crevasses de l'écorce des arbres. Les larves vont s'enfoncer vers le cœur de l'arbre. Ce sont ces galeries qui sont les plus dommageables pour l'arbre car elles interrompent la circulation de la sève.

EFFETS NUISIBLES

La plupart des espèces vont attaquer des arbres malades, faibles ou morts. Certains longicornes, toutefois, tels le longicorne asiatique *(Anoplophora glabripennis)* se révèlent plus dommageables car ils peuvent attaquer des arbres en pleine santé, jeunes ou vieux. Celui-ci n'a cependant pas encore été observé au Québec, mais il est déjà présent en Ontario.

PLANTES AFFECTÉES

Épinette, érable.

CONTRÔLE

On peut poser des bandes collantes recouvertes de « Tanglefoot » sur les arbres, ce qui permet de capturer les adultes.

MARMOTTE
Marmota monax / Groundhog

PIERRE BERNIER

La marmotte commune est présente un peu partout au Québec où elle est connue aussi sous le nom de siffleux. Elle fréquente les champs, les terrains accidentés, les lisières des bois, les forêts clairsemées, les parcs et les pentes rocheuses. Les terrains qu'elle semble préférer sont sablonneux et bien drainés. En été, son terrier est souvent au milieu d'une prairie et en hiver, dans les broussailles. Le terrier d'hiver est ordinairement assez profond pour se situer sous le niveau du gel. Le territoire souterrain de la marmotte est constitué de 2 à 5 entrées reliées à diverses chambres par un réseau de tunnels.

EFFETS INDÉSIRABLES

La marmotte est l'ennemi numéro un des jardiniers. Elle se régalera surtout de vos laitues, brocolis et autres légumes verts. Si vous ne cultivez pas de potager, elle mangera des fleurs comme les phloxs, rudbeckies et autres.

ÉDITH SMEESTERS

Piège Havahart.

- Installez un arroseur automatique avec détecteur de mouvement pour les effrayer (voyez : « scarecrow » disponible chez Labon).

- Un chien qui patrouille à l'extérieur est un excellent moyen pour éloigner les marmottes.

CONTRÔLE

Les spécialistes en gestion parasitaire et les coopératives agricoles peuvent vendre ou louer des pièges de type « Havahart ». Attirez la marmotte dans le piège avec une carotte ou du brocoli. Libérez-la loin des habitations ou apportez-la chez un vétérinaire pour la faire euthanasier.

PRÉVENTION

- Saupoudrez du poivre de Cayenne autour du potager et spécialement autour de ses légumes préférés.

- Clôturez votre potager et prenez soin d'enterrer la clôture à au moins 15 cm de profondeur.

ÉDITH SMEESTERS

Millipède ou mille-pattes.

MILLE-PATTES
Oxidus spp. / Millipedes

Myriapode possédant un long corps (1,5 à 4 cm) cylindrique, brun foncé et segmenté avec de nombreuses pattes. Chacun des segments a deux paires de pattes. Les mille-pattes se déplacent lentement et ils sont plutôt nocturnes. On confond souvent les mille-pattes avec les centipèdes qui ont des pattes plus longues et moins nombreuses que les mille-pattes (1 paire par segment). Les centipèdes avancent aussi beaucoup plus vite.

CYCLE DE VIE

Les œufs, déposés sur le sol, dans les endroits sombres, sous le paillis, éclosent en nymphes. Celles-ci sont similaires aux adultes mais plus courtes et avec seulement quelques segments.

EFFETS BÉNÉFIQUES

Les mille-pattes sont très utiles au jardin. Ce sont de grands consommateurs de matières végétales en décomposition.

COMMENT LES ATTIRER

Posez des pierres plates dans les jardins, sous lesquelles ils se réfugieront le jour.

MINEUSES
Leafminers

Petite mineuse du bouleau
(Fenusa pusilla).

THÉRÈSE ARCAND, RES. NAT. CANADA

Il existe beaucoup d'espèces différentes d'insectes, appelés « mineuses », qui peuvent creuser des galeries dans les feuilles d'arbres, des légumes et des fleurs de jardin. Il peut s'agir de mouches, de petites guêpes, de chenilles ou de très petits coléoptères.

THÉRÈSE ARCAND, RES. NAT. CANADA

Larve dans une mine ouverte.

CYCLE DE VIE

Les adultes émergent tôt au printemps et déposent les œufs sur les feuilles. Les larves se développent à l'intérieur de longues galeries creusées à la face supérieure des feuilles, arrivées en fin de croissance, elles se transforment en nymphes dans le sol. Il y a deux à trois générations par an, plus dans les serres.

EFFETS INDÉSIRABLES

Les larves creusent des tunnels dans l'épaisseur des feuilles des plantes attaquées, se nourrissent des tissus végétaux et laissent des sillons creux sur leur passage créant des motifs jaunes ou bruns visibles sur les feuilles. Les dégâts sont généralement d'ordre esthétique, mais de fortes infestations répétées peuvent diminuer la durée de vie des arbres de certaines espèces notamment les bouleaux et les thuyas (cèdres).

PRÉVENTION

• Appliquez du compost sous les plants affectés, cela les renforce et procure un milieu riche en prédateurs lors du stade où l'insecte va déposer ses oeufs dans le sol.

• Éliminez l'oseille et le choux gras qui attirent la mineuse.

• Favorisez les guêpes parasitoïdes en évitant l'utilisation de pesticides.

• Dès le début des dommages, coupez et détruisez les feuilles affectées.

CONTRÔLE

Pulvérisez du savon insecticide additionné de pyréthrine et d'huile de Colza (Canola) au stade où les mineuses sont adultes.

BERNARD DROUIN, MAPAQ

MOUCHE DE LA POMME
Rhagoletis pomonella / Apple maggot

Le corps des adultes est noir (6 mm), leurs ailes sont transparentes et présentent des marques noires

disposées en forme de « W ». La larve blanche, de 10 mm de long a des pièces buccales noires.

Larve.

CYCLE DE VIE

Les adultes commencent à émerger du sol de la mi-juin à juillet. La femelle pond ses œufs sous la peau de la pomme, 5 à 7 jours plus tard les larves émergent et creusent des galeries dans la chair du fruit, puis tombent au sol où elles deviennent pupes et hibernent à environ 5 cm sous la surface. Il n'y a qu'une génération par année. Certaines pupes restent en dormance pendant plusieurs années.

EFFETS INDÉSIRABLES

Les larves de la mouche de la pomme font des tunnels dans les pommes et donnent un mauvais goût aux fruits.

PLANTES AFFECTÉES

Pommiers et pommetiers.

CONTRÔLE

• Installez des pièges (des pommes artificielles rouges ou des carrés jaunes avec une pastille rouge) qu'on recouvre de colle « Tanglefoot ». Accroché dans l'arbre à la hauteur des yeux, cet appât capturera les adultes. Installez 3 ou 4 pommes par arbre, avant le développement des fruits, vers le début juillet.

• Ramassez et détruisez (ne pas les composter) les fruits qui tombent sous l'arbre pour éviter que les larves qu'ils contiennent ne complètent leur développement dans le sol.

MOUCHES DOMESTIQUES
Musca domestica / House flies

THÉRÈSE ARCAND, RESS. NAT. CANADA

Mouches d'un gris-noir (7-12 mm) avec des pattes et une tête noires. Elles sont munies de gros yeux composés de couleur rouge. Leurs ailes sont nervurées et transparentes. Les larves sont des asticots blancs de 14 à 17 mm de long, alors que les pupes sont plutôt blanchâtres, parfois un peu brunâtres.

CYCLE DE VIE

La femelle peut pondre 500 œufs au cours de sa vie. Ces derniers vont éclore 12 à 24 heures après la ponte. Le cycle de vie est complété dans une période de 12 à 35 jours alors que l'adulte vit 2 à 4 semaines.

EFFETS INDÉSIRABLES

Les mouches domestiques se nourrissent de tout ce qu'elles trouvent et pondent leurs œufs sur la nourriture qui traîne (surtout la viande). Elles ne s'attaquent pas aux végétaux, mais elles sont souvent porteuses de germes de plusieurs maladies humaines.

PRÉVENTION

• Fermez les moustiquaires et les portes de la maison.

• Fermez hermétiquement les couvercles des poubelles à l'extérieur.

• Ne laissez pas traîner de la nourriture (viande) à l'extérieur.

CONTRÔLE

• Munissez-vous de pièges collants pour attraper celles qui sont à l'intérieur de la maison.

• Une bonne « tapette à mouche » et un bon coup de poignet sont très efficaces !

Si vous avez de grandes quantités de « mouches » qui entrent dans la maison en automne, voyez : pollénie du lombric (*Pollenia rudis*).

THÉRÈSE ARCAND, RES. NAT. CANADA

MOUCHES SCIARIDES
Bradysia spp. / Fungus gnats

Il existe plusieurs espèces de mouches sciarides qui sont présentes dans les maisons, les serres et les jardins. Généralement, ce sont de petites mouches (3-4 mm de long) de couleur variant entre le gris-brun et le noir. Elles courent souvent sur la surface des feuilles des plantes de maison. Elles ne volent pas très rapidement et sont faciles à attraper en plein vol en claquant des mains. Les larves sont de petits asticots blancs, de 5 mm de long avec une tête noire, qui évoluent dans le sol.

CYCLE DE VIE

Le cycle de vie de la mouche sciaride dure de 3 à 4 semaines en conditions favorables. Les dégâts sont occasionnés par les larves qu'on reconnaît à leur couleur translucide.

Ces pièges collants sont très efficaces contre les sciarides.

ÉDITH SMEESTERS

EFFETS BÉNÉFIQUES

La plupart des mouches sciarides se nourrissent de matière végétale en décomposition et sont inoffensives pour les plantes. En tant que décomposeurs, elles favorisent la redistribution des éléments nutritifs aux plantes.

EFFETS INDÉSIRABLES

Les larves peuvent s'attaquer aux racines en y créant des portes d'entrées favorisant la prolifération des champignons pathogènes : *Fusarium, Cylindrocarpon, Phytophthora,* etc. Les dommages surviennent seulement lorsque les larves sont très nombreuses.

CONTRÔLE

- Enlevez les débris végétaux sur la surface de la terre dans les pots.

- Laissez bien sécher la terre des plantes en pots entre les arrosages.

- Installez de petits collants jaunes «Sticky sticks» dans les plantes (disponibles en jardinerie).

- Favoriser la venue des araignées terrestres (araignées sauteuses) qui les captureront volontiers. On en rentre généralement l'automne avec nos plantes qui ont passé l'été dehors.

MOUFFETTE
Mephitis mephitis / Skunk

La plus abondante est la mouffette rayée, qui a la taille d'un chat environ. Elle fréquente une grande variété d'habitats : prairies, régions agricoles, banlieues, parcs urbains, etc. La mouffette se creuse rarement un terrier. Le plus souvent, elle s'installe plutôt dans un ancien gîte de marmotte ou de renard. Il lui arrive aussi de se construire un gros nid d'herbes sèches sous un bâtiment ou dans un amas de pierres. C'est un animal nocturne.

La mouffette est si jolie, mais son parfum est un peu fort.

EFFETS BÉNÉFIQUES

La mouffette mange une grande quantité d'insectes, de larves, de vers, de petits mammifères (tels que le campagnol, la souris et la taupe), mais aussi de mollusques et de grenouilles.

EFFETS INDÉSIRABLES

La mouffette projette un liquide d'odeur infecte dont elle se sert en cas de danger. Étant omnivore, la mouffette se nourrit également de petits fruits, de graines, de noix, de feuilles et de bourgeons. Les dégâts qu'elle fait dans la pelouse, à la recherche de larves de hannetons, peuvent être considérables.

PRÉVENTION

- Éliminez ce qui attire les mouffettes : terriers, débris, piles de bois, etc…

- Disposez les poubelles dans un contenant bien étanche.

- Évitez de laisser les poubelles dehors durant la nuit, la mouffette étant nocturne.

- N'effrayez pas la mouffette et tenez-vous à 6 m de distance pour éviter d'être arrosé.

CONTRÔLE

- Mettez un chiffon imbibé d'ammoniaque dans sa cachette pour la déloger. Une lampe ou une radio allumée risque de la déranger aussi.

- Fermez ensuite l'accès à tous les endroits où elle pourrait se loger avec un grillage solide : sous les cabanons, les terrasses, les escaliers, etc…

- Utilisez une cage de type « Havahart », recouverte d'un sac opaque, pour l'attraper. Ensuite, la relocalisation peut être efficace à condition de ne pas déménager l'animal dans un endroit où il va causer d'autres problèmes. Sinon, l'euthanasie est la meilleure solution. Appelez un vétérinaire ou un spécialiste de la gestion antiparasitaire.

MOUSTIQUES, MARINGOUINS
Mosquitoes

PHOTOS : JEAN PIERRE BOURASSA

Tout le monde connaît le moustique, quoiqu'il en existe une cinquantaine d'espèces au Québec. Seules les femelles piquent pour se nourrir de sang, alors que les mâles se nourrissent de sucs végétaux. L'espèce la plus courante en milieu urbain et périurbain est *Culex pipiens*.

CYCLE DE VIE

Selon les espèces, les femelles pondent des œufs individuellement ou en barquettes, à la surface d'une eau stagnante et peu profonde. Après quelques jours, les œufs se transforment en larves aquatiques de 1,5 à 2 mm, munies d'un siphon respiratoire qui leur permet de capter l'air à la surface de l'eau. Les larves, très voraces, se nourrissent de bactéries, de plancton et divers débris organiques. Elles subissent 3 mues avant de se transformer en nymphes de 3 à 7 mm de long. Les nymphes ne se nourrissent pas et restent près de la surface de l'eau pour respirer au moyen de petites « trompettes ». Elles se transforment rapidement en adultes et le cycle recommence. Alors que les espèces dites estivales ont plusieurs générations, celles qualifiées de printanières ne pondent qu'une seule fois à la fin du printemps ou au cours de juin. Leurs œufs entrent en repos (diapause), résisteront à l'hiver et écloront le printemps suivant.

EFFETS INDÉSIRABLES

Outre leur très désagréable habitude de nous piquer, les moustiques peuvent transmettre des maladies. La plus préoccupante, depuis quelques années sous nos latitudes, est une encéphalite transmise par le virus du Nil occidental. Quoique les cas soient très rares au Québec et que la mortalité l'est encore plus, il vaut mieux prendre des précautions afin d'éviter les piqûres de moustiques.

PRÉVENTION

• Installez de bonnes moustiquaires aux portes et fenêtres de la maison.

• Portez des vêtements longs lorsque vous allez dehors, surtout lorsque les moustiques sont les plus actifs, après le coucher du soleil ou tôt le matin.

• Utilisez un chasse-moustique lors de vos activités extérieures.

• Éliminez les petites mares d'eau stagnante accumulée dans divers objets autour de la maison : dans les pneus, jouets, pataugeoires, soucoupes des pots de fleurs, etc.

- Agitez l'eau régulièrement dans les petits étangs ou placez-y des poissons qui pourront se nourrir de larves dans l'éventualité où celles-ci tentent de s'installer.

- Remplacez l'eau deux fois par semaine dans les bains d'oiseaux.

- Pour plus d'informations sur le contrôle des moustiques :
http://www.virusdunil.com/
ou appelez au : 1 800 363-1363

CONTRÔLE

On peut contrôler les populations de moustiques, pendant leur stade larvaire dans l'eau, avec du Bti (voyez *Bacillus thuringiensis*), mais seulement à l'échelle d'une ville ou même d'une région et après évaluation par des experts.

Il est inutile de traiter les moustiques avec des insecticides sur un terrain privé car ils peuvent se déplacer très loin ! Il vaut beaucoup mieux appliquer les mesures préventives ci-dessus pour éliminer l'eau stagnante autour de la maison et encourager les voisins à faire pareil.

NÉMATODES ENTOMOPATHOGÈNES

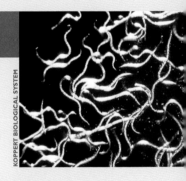

KOPPERT BIOLOGICAL SYSTEM

Vers microscopiques non segmentés, filiformes d'une taille variant entre 0,5 à 1,1 mm de longueur selon les espèces. Les nématodes entomopathogènes (parasites d'insectes) vivent certaines parties de leur vie dans le sol et d'autres dans le corps d'insectes qu'ils parasitent pour se reproduire, se développer et se nourrir.

EFFETS BÉNÉFIQUES

Ces parasites d'insectes tuent leurs hôtes en les contaminant par des bactéries avec lesquelles ils vivent en symbiose. On peut se procurer certaines espèces chez des fournisseurs spécialisés (voyez *Prédateurs* dans Ressources) et les utiliser comme prédateurs contre plusieurs ravageurs, notamment contre les vers blancs et certaines espèces de mouches. La plupart des espèces vendues pour contrôler les vers blancs ont besoin que la température du sol soit au-dessus de 15 °C au moment de l'utilisation et elles sont sensibles à la lumière. Il faut donc les garder dans leur emballage jusqu'à utilisation et les appliquer idéalement après le coucher du soleil. Pour que les traitements soient efficaces, les nématodes et leurs bactéries ont besoin d'un sol bien humide. Informez-vous des restrictions sur l'arrosage des pelouses dans votre municipalité avant de procéder.

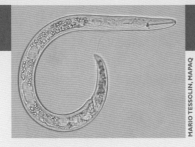

MARIO TESSOLIN, MAPAQ

Paratylenchus **spp.**

NÉMATODES PHYTOPHAGES
Nematodes

Vers microscopiques non segmentés, filiformes, d'une taille variant entre quelques microns à 0,5 mm de longueur. Ces nématodes vivent dans le sol et parasitent les tissus de plantes (phytophages) pour se reproduire, se nourrir et compléter des stades de leur développement.

CYCLE DE VIE

La majorité des espèces se déplacent à travers le sol ou un film d'eau pour infester les plantes hôtes. Les larves muent plusieurs fois avant d'atteindre le stade adulte. L'adulte pond ses œufs dans les plantes. Le cycle de vie pour plusieurs espèces nuisibles est de trois à quatre semaines.

EFFETS INDÉSIRABLES

Ces nématodes sont nuisibles parce qu'ils occasionnent des dommages aux racines ou aux feuilles des plantes. Les dégâts se traduisent la plupart du temps par un affaiblissement des plantes infestées, parfois par des déformations, des décolorations ou des galles. Les nématodes phytophages peuvent également provoquer l'aggravation de maladies causées par des champignons ou des virus. Différentes espèces de fleurs peuvent être affectées comme les chrysanthèmes.

PRÉVENTION

Faites du compagnonnage avec des tagètes ou soucis.

CONTRÔLE DES NÉMATODES NUISIBLES

Éliminez les plants infestés et la terre qui les entoure.

SUZANNE BRÛLOTTE

Hirondelle bicolore.

OISEAUX
Birds

Plusieurs espèces d'oiseaux sont de grands amis des jardins car ils consomment des quantités énormes d'insectes. Les merles et les étourneaux sont de grands prédateurs des vers blancs. Les hirondelles mangent beaucoup de moustiques, de mouches et autres insectes indésirables.

EFFETS INDÉSIRABLES

Certains oiseaux apprécient les petits fruits mûrs.

CONTRÔLE

Installez des filets surs les plants de petits fruits et offrez-leur d'autres arbustes à fruits : viorne, amélanchier, sureau, etc.

PERCE-OREILLE OU FORFICULE
Forficula auricularia / European earwig

Insectes broyeurs mesurant 2 cm environ avec des appendices en forme de pinces à l'extrémité de leur abdomen. Les larves sont semblables aux adultes. Les perce-oreilles sont nocturnes et se cachent le jour dans des crevasses ou entre les pétales de leurs plantes hôtes. Les staphylins, qui sont des insectes prédateurs, ont aussi des appendices à la queue, mais pas en forme de crochets, et ils sont aussi nocturnes.

RENÉ LIMOGES, INSECTARIUM DE MTL

CYCLE DE VIE

Aux premiers gels, les adultes s'enfoncent dans le sol pour y passer l'hiver. Entre la mi-novembre et la mi-décembre, chaque femelle pond une cinquantaine d'œufs blancs, lisses et ovoïdes, au fond d'un terrier. La femelle en prend soin jusqu'à sa mort durant l'hiver ou au printemps. Les larves, d'environ 2 mm de long, émergent des œufs vers la mi-mai. Les jeunes ressemblent aux adultes en miniature. Vers la fin mai, ils sortent du terrier la nuit pour aller se nourrir, mais reviennent dès le lever du soleil. Après avoir atteint une certaine maturité, les stades juvéniles ne retournent plus au terrier et recherchent d'autres abris sombres où se réfugier pendant la journée. Le forficule subit quatre mues avant d'atteindre le stade adulte. Les premiers adultes apparaissent généralement en juillet et demeurent actifs jusqu'en octobre. Il y a une seule génération par année.

EFFETS BÉNÉFIQUES

Ce sont essentiellement des décomposeurs. Ils mangent aussi des pucerons et d'autres petits insectes à l'occasion.

EFFETS INDÉSIRABLES

Ils peuvent endommager les jeunes pousses, le feuillage et les fleurs en perçant des trous et ils s'attaquent à l'occasion aux fruits, notamment aux fraises. Ils peuvent causer des dégâts importants aux plantes lorsque leurs populations sont élevées.

PLANTES AFFECTÉES

Plusieurs espèces de plantes légumières et ornementales, notamment celles présentant des pièces florales (sépales ou des pétales) serrées ou enroulées : dahlia, chrysanthème, rudbeckie, tournesol, clématite, pensée.

PRÉVENTION

• Mettez du paillis autour de vos plants. Le paillis sert d'abri aux perce-oreilles, mais aussi à une foule de prédateurs qui se chargeront d'effectuer un contrôle gratuit*. De plus, les perce-oreilles, qui sont des décomposeurs avant tout, vont se nourrir d'abord dans le paillis avant d'attaquer les plants sains et ils auront de l'ouvrage pour longtemps si vous

prenez soin de renouveler le paillis régulièrement.

• Favorisez la venue de crapauds et de couleuvres au jardin, en installant des pots de terre cuite renversés et troués au ras du sol, de tas de roches, etc.

CONTRÔLE

• Les perce-oreilles peuvent être tués avec du savon insecticide en les cherchant après le coucher du soleil à l'aide d'une lampe de poche... activité passionnante !

• Il est plus facile de les piéger à l'aide d'un journal roulé légèrement imbibé d'huile végétale ou de poisson. Les forficules s'y cacheront le jour : éliminez-les dans un seau d'eau savonneuse. *Note :* en Europe, on commercialise des couches à forficules : sortes de pots de grès renversés, remplis d'un matériel approprié et à disposer dans le jardin, pour que les forficules s'y réfugient.

ÉDITH SMEESTERS

Phytopte vésiculaire sur érable.

PHYTOPTES
Vasates spp. / Maple mite

Les phytoptes sont des acariens qui produisent des protubérances sur la surface des feuilles d'arbres, comme les érables. Ils peuvent avoir l'apparence de petites vésicules (phytopte vésiculaire), une forme allongée (phytopte fusiforme) ou une apparence veloutée (phytopte veloutant). D'autres phytoptes affectent les bouleaux, les trembles et les lilas.

* (voyez : http://www. entomology.wisc.edu/mbcn/veg104.html)

CYCLE DE VIE

Après l'éclosion des œufs, les larves piquent les feuilles et induisent des protubérances diverses en fonction de l'espèce.

CONTRÔLE

Les dégâts ne sont généralement qu'esthétiques et il ne faut pas intervenir.

PIÉRIDE DU CHOU
Pieris rapae. / Cabbage butterfly

C'est un papillon blanc de 30 mm de long avec une tache noire au bout des ailes et 2 ou 3 points noirs. Il existe également une variante de couleur : le blanc peut être remplacé par un jaune clair tirant sur le vert. Les chenilles (15 mm) sont vertes et veloutées avec une fine ligne jaune dans le dos.

Pieris rapae : adulte.

PHOTOS : BERNARD DROUIN, MAPAQ

Larve.

CYCLE DE VIE

Les adultes émergent tôt au printemps pour pondre, après avoir passé l'hiver au stade de chrysalide. La première ponte a lieu sur des crucifères sauvages (comme la barbarée qui fleurit tôt le printemps). Les chenilles se nourrissent pendant deux à trois semaines et se transforment en chrysalide dans les débris à la surface du sol. Les adultes émergent une à deux semaines plus tard. Trois à cinq générations se chevauchent par an, tous les stades larvaires sont présents pendant toute l'année.

EFFETS INDÉSIRABLES

Les chenilles mangent les feuilles et les têtes des choux. Elles peuvent également s'attaquer à toutes les autres plantes de la famille des crucifères.

CONTRÔLE

Voyez *Chenilles*.

EDITH SMEESTERS

PIGEON BISET
Columbia livia / Pigeon

Les pigeons sont de gros oiseaux qui ressemblent à des tourterelles. Ces dernières sont cependant beaucoup plus petites et ont une queue longue et pointue. Le plumage des pigeons varie entre différentes teintes de gris à l'état sauvage. Par contre, on observe plusieurs variations de couleurs lorsqu'on les retrouve dans un milieu urbain. La tête, généralement gris foncé, est relativement petite par rapport au reste du corps. La queue est courte et carrée.

EFFETS INDÉSIRABLES

Les pigeons sont très attrayants pour certaines personnes mais ils peuvent causer des problèmes importants lorsqu'ils sont nombreux. En effet, les fientes de pigeons sont corrosives et peuvent endommager les bâtiments. Les nids peuvent laisser échapper toutes sortes de débris au sol et les roucoulements peuvent déranger les habitants. De plus, ces oiseaux transportent des parasites qui peuvent infester les immeubles.

CONTRÔLE

On peut utiliser des leurres pour les effrayer, comme des serpents de caoutchouc, des hiboux de plastique ou des assiettes d'aluminium. Mais après quelques temps, les oiseaux ne sont pas dupes. La meilleure solution est l'installation de Nixalite, que l'on peut trouver chez les spécialistes en gestion parasitaire. C'est un système qu'on installe dans les endroits stratégiques et qui consiste en de longues pointes affilées d'acier inoxydable, orientées dans toutes les directions ce qui force les pigeons à s'éloigner. Il est important de débarrasser les surfaces traitées de toutes les saletés laissées par les oiseaux.

Bien entendu, il est recommandé de ne pas nourrir les pigeons pour éviter leur prolifération.

POLLÉNIE DU LOMBRIC, CALLIPHORE
Pollenia rudis / Cluster flies

La femelle pond des œufs individuels dans le sol près des vers de terre. Après quelques jours, les œufs éclosent et les larves se mettent à la recherche de vers. Elles s'y installent, les paralysent et y resteront environ 3 semaines avant de se transformer en nymphes. Après deux semaines, celles-ci deviendront des adultes.

EFFETS INDÉSIRABLES

C'est au moment où elles se cherchent un abri pour l'hiver que les pollénies peuvent causer des problèmes. En automne, elles se réunissent sur les murs exposés au soleil et cherchent à s'introduire à l'intérieur par tous les orifices possibles pour hiberner. Les nouveaux « soffites » sont très invitants pour ce type de mouches, car les bords ondulés laissent beaucoup de place pour s'infiltrer dans les greniers, d'où elles peuvent éventuellement trouver un autre point d'entrée dans l'habitation elle-même. À l'intérieur, elles se tiennent sur les fenêtres exposées au sud où elles finissent par mourir. Elles ne sont pas attirées par la nourriture et elles ne se reproduisent pas à l'intérieur.

CONTRÔLE

- La seule façon durable de régler le problème de ces « mouches » (pollénies) qui entrent massivement dans la maison est de rendre sa structure la plus hermétique possible en calfeutrant toutes les voies d'entrée. Cette opération permettra probablement d'économiser de l'énergie en même temps ! Toute pulvérisation d'insecticide n'apportera qu'une solution temporaire.

- À l'intérieur, on peut placer des « collants à mouches » près des fenêtres, où elles se réunissent, ou passer l'aspirateur pour les éliminer.

Calfeutrez les extrémités des soffites pour prévenir l'entrée des pollénies.

PUCERONS
Aphids

ÉDITH SMEESTERS

Insectes piqueurs-suceurs au corps mou en forme de poire, de couleurs variées, qui vivent en colonies. Les nymphes sont identiques aux adultes mais de plus petite taille et sans ailes, quoiqu'elles puissent porter des fourreaux alaires assez longs dans certains cas.

CYCLE DE VIE

Les pucerons passent l'hiver sous forme d'œufs. Au printemps, des femelles sans ailes (aptères) sortent des œufs. Six à dix jours plus tard, elles donnent naissance à des pucerons, avec ou sans ailes, qui sont produits sans fécondation et qui sont essentiellement des petits « clones » de leur mère. Des cohortes de pucerons ailés apparaissent périodiquement, pour aller produire de nouvelles colonies sur des plantes voisines ou parfois éloignées. Vers la fin de l'été, les femelles produisent des mâles et des femelles ailés qui s'accouplent et produisent alors entre un et quatre œufs déposés sur une plante hôte. Les œufs éclosent au printemps suivant pour recommencer le cycle.

EFFETS INDÉSIRABLES

Les pucerons sucent la sève des nouvelles pousses sur les feuilles, les tiges ou quelquefois sur les racines des végétaux. Cela provoque généralement un affaiblissement des plantes infestées, voire la déformation ou la chute prématurée de leurs feuilles. Les pucerons peuvent transmettre des maladies virales. Leurs sécrétions de miellat sur les feuilles peuvent favoriser le développement d'un champignon noir inesthétique sur les feuilles (la fumagine), qui peut noircir les surfaces sous les arbres (comme une voiture garée sous un tilleul !). Le miellat des pucerons peut également attirer des guêpes à papier et des fourmis qui iront même jusqu'à protéger les pucerons en échange de leur miellat.

PLANTES AFFECTÉES

La plupart des plantes herbacées et ligneuses, ornementales, potagères ou fruitières. Particulièrement : rosier, prunier, pommetier, bouleau, peuplier, tilleul, spirée, viorne, asclépiade.

COMMENTAIRES

Les pucerons sont attirés par les plantes affaiblies par des conditions défavorables aux plantes, comme le manque de lumière, la surfertilisation et la sous-fertilisation.

CONTRÔLE

- Supprimez les parties de plantes les plus atteintes.

- Pulvérisez les plants atteints avec un jet d'eau puissant pour déloger les pucerons.

- Vaporisez un savon insecticide mélangé à de l'alcool à friction à raison de 15 ml d'alcool pour 500 ml de savon déjà dilué ou prêt à l'emploi (10 ml de savon insecticide concentré pour 500 ml d'eau). L'alcool permettra de dissoudre la cuticule cireuse de la peau des pucerons ce qui augmentera grandement l'efficacité du savon.

- Introduisez des prédateurs au jardin comme des coccinelles ou des chrysopes qu'on peut se procurer chez des fournisseurs spécialisés (voyez *Prédateurs* dans Ressources).

PUNAISES
Plant bugs / Stink bugs

Il existe de nombreuses espèces de punaises nuisibles dans les jardins, notamment certaines phytophages comme la punaise terne *(Lygus lineolaris)* et la punaise velue *(Blissus leucopterus hirtus)*. Certains genres sont cependant composés d'espèces phytophages et d'autres prédatrices. La suivante *(Geocoris)* est une prédatrice très utile !

PUNAISE GÉOCORINE
Geocoris spp. / Big eyed bug

Petit insecte (4-7 mm) ailé, noir, gris ou brun avec de minuscules points blancs sur la tête et le thorax. Tête très large munie de grands yeux de chaque côté. Les nymphes sont semblables aux adultes, mais sans ailes.

CYCLE DE VIE

Les femelles déposent leurs œufs sur les tiges et à la face inférieure des feuilles. Les œufs éclosent deux semaines plus tard, les nymphes se développent

Geocoris punctipes.

pendant quatre à six semaines avant de se transformer en adultes qui passent l'hiver dans les débris de jardin.

EFFETS BÉNÉFIQUES

Excellent prédateur de pucerons, sauterelles, acariens, jeunes chenilles et autres punaises, notamment les nymphes
de punaises velues.

COMMENT LES ATTIRER

Elles aiment pondre leurs œufs sur des
plantes sauvages (mais envahissantes!)
comme l'asclépiade et la verge d'or.

THÉRÈSE ARCAND, RESS. NAT. CANADA

PUNAISE VELUE

Blissus leucopterus hirtus / Hairy chinch bug

Les adultes mesurent 3,5 à 4 mm de long, ils sont noirs
avec des ailes transparentes croisées dans le dos. Mais ce
sont les nymphes, d'environ 1 mm de long, qui sont les plus
voraces. Elles sont rougeâtres avec deux lignes blanches ou
jaunes dans le dos. On en trouve dans presque toutes les
pelouses, mais elles ne causent des dommages que lorsqu'elles sont en grand
nombre et que la pelouse est affaiblie par une sécheresse ou un autre facteur de
stress. Pour savoir si vous avez une infestation de punaises, écartez la pelouse de
vos doigts en bordure des zones affectées, près du gazon sain, grattez un peu le
chaume, au besoin avec un outil tranchant. Vous verrez rapidement apparaître
plusieurs minuscules insectes rouges ou noirs, certains avec des lignes ou des ailes
blanches. On peut aussi utiliser une boîte métallique (format : boîte de café) dont
on enlève le fond : enfoncez dans la pe-
louse à mi-hauteur et remplissez d'eau
savonneuse. Après quelques minutes,
les punaises noyées vont flotter à la
surface et il sera facile de les compter.

Lors d'un dégât de punaise, le gazon est
sec mais bien fixé au sol, contrairement
au dégâts de vers blancs, où le gazon a
perdu ses racines et s'enlève facilement.

ÉDITH SMEESTERS

Dépistage de la punaise velue.

CYCLE DE VIE

Les adultes passent l'hiver dans les
débris des végétaux, sous les haies en
bordure du gazon. Les femelles pon-

La punaise a détruit toute la pelouse, excepté le trèfle.

dent leurs œufs sur le gazon. Après une à trois semaines, les nymphes émergent des œufs et passent par trois stades de croissance avant de devenir adultes, vers la fin juin. Les punaises aiment les endroits secs et se cachent dans le feutre de la pelouse où elles piquent et sucent les collets des pousses de gazon qui deviennent jaunes et se dessèchent.

EFFETS INDÉSIRABLES

Les punaises ne sont nuisibles pour la pelouse que lorsqu'elles sont trop nombreuses (plus de 150 punaises par m²). Les infestations surviennent généralement sur les terrains secs, sablonneux, acides et surfertilisés.

PRÉVENTION

- Gardez le sol frais autant que possible :

    en laissant le gazon haut (8 cm ou 3 pouces) ;

    en étendant une fine couche de compost au printemps ;

    en plantant des arbres pour faire de l'ombre sur la pelouse.

- Semez des variétés de gazon résistantes à la punaise (avec endophytes).

- N'utilisez que des engrais naturels qui libèrent l'azote lentement.

- Cultivez la biodiversité dans votre pelouse: trèfle, lotier, thym. Les punaises ne mangent que les graminées.

- Surveillez régulièrement votre pelouse pour éviter des infestations majeures.

- Remplacez la pelouse par des parterres de fleurs dans les endroits trop ensoleillés.

CONTRÔLE

- Inondez les endroits infestés (récupérez les eaux de pluie et les eaux grises en cas de restrictions d'arrosages). Pulvérisez avec de l'eau savonneuse (5 ml par litre d'eau) après l'arrosage.

- Traitez dès le mois de juin et jusqu'à la fin août. Après, il sera beaucoup plus difficile de les éliminer.

- Utilisez localement un savon insecticide à la pyréthrine que vous appliquerez à deux ou trois reprises à 4-5 jours d'intervalle, tout en gardant l'espace bien humide.

PYRALE DES PRÉS
Chrysopteuchia topiaria / Sod Webworm

Larve.

Les adultes sont de petits papillons blancs qui volent au ras du sol en soirée. Les chenilles brunes ont une longueur de 9-13 mm à maturité et les adultes mesurent de 20 à 25 mm avec les ailes déployées.

Adulte.

CLAUDE GÉLINAS

CLAUDE GÉLINAS

CYCLE DE VIE

L'adulte ne fait pas de dégâts, mais pond ses œufs dans la pelouse, les chenilles apparaissent six à dix jours après et commencent immédiatement à se nourrir du gazon, construisent des tunnels dans le chaume et laissent des débris à la surface du sol.

EFFETS INDÉSIRABLES

Ce sont les chenilles qui font les dégâts en mangeant les racines et les tiges. Elles aiment les endroits ensoleillés et les pelouses compactes, là où le feutre est abondant et les tiennent à l'abri.

DÉPISTAGE

On peut détecter leur présence en suivant de petits excréments brunâtres que l'on trouve en écartant la pelouse aux endroits jaunis. Pour faire sortir les larves de pyrales, inondez la surface avec de l'eau savonneuse à raison de 30 ml de savon pour 8 litres d'eau. Attendez une dizaine de minutes jusqu'à ce que les larves sortent de terre.

Lorsqu'il y a plus de 50 larves de pyrales par m^2 il faut intervenir.

PRÉVENTION

• Aérez le sol et déchaumez le terrain au printemps s' il y a accumulation de feutre.

• Terreautez la pelouse avec du compost.

• Semez des variétés de gazon résistantes (fétuques ou ray-grass avec endophytes).

• Encouragez la biodiversité dans votre pelouse : les pyrales ne mangent que les graminées et une pelouse saine abrite une quantité de prédateurs naturels.

• Laissez le gazon bien haut (8 cm) pour qu'il soit plus vigoureux.

• Surveillez régulièrement votre pelouse pour éviter des infestations.

• Réduisez la surface de votre pelouse, surtout celle qui est exposée au plein soleil.

CONTRÔLE

En cas d'infestation appliquez l'une des méthodes suivantes :

• Inondez les endroits infestés avec du savon insecticide à la pyréthrine.

• Introduisez des nématodes entomo-pathogènes (voyez *Prédateurs* dans Ressources). *Attention :* il faut arroser la pelouse à fond avant et après l'application, car les nématodes ne peuvent survivre que dans des conditions d'humidité élevée (voyez *Nématodes entomopathogènes*).

• Appliquez du Btk.

LOUISE TANGUAY

SAUTERELLES
Grasshoppers

Ce sont des insectes sauteurs de 25 à 50 mm de long, bruns, jaunes ou verts. Leur tête est munie de grands yeux noirs et de pièces buccales de type broyeur. Leurs pattes postérieures sont robustes et spécialisées pour le saut.

CYCLE DE VIE

La femelle dépose ses œufs dans un sol sableux. Après l'incubation des œufs, naissent de minuscules sauterelles (nymphes) semblables aux adultes mais dépourvues d'ailes. Au cours de leur croissance, les jeunes subissent plusieurs mues qui leur permettent de grandir et d'atteindre le stade adulte, avec des ailes complètes et des organes reproducteurs fonctionnels.

EFFETS INDÉSIRABLES

Elles s'attaquent à tous les végétaux. Elles se multiplient beaucoup dans les monocultures, mais les dégâts importants sont rares en milieu diversifié.

CONTRÔLE

Les sauterelles sont généralement tenues en échec par les prédateurs naturels : carabes, oiseaux, nématodes, mouches tachinides.

SCARABÉE JAPONAIS

Popillia japonica / Japanese Beetle

LINA BRETON, MAPAQ

Coléoptère vert métallique et brun, de 20 mm de long, souvent trouvé sur les plantes à fleurs, particulièrement les rosiers, framboisiers, verges d'or en fin de saison, etc. Elles se caractérisent par 6 paires de poils disposés en V sous l'abdomen. Lorsqu'on s'approche d'eux, les adultes se laissent tomber sous les feuilles ou s'envolent. Les larves sont des vers blancs de 25 mm en forme de « C », ressemblant à ceux des hannetons, de couleur blanche avec une tête brune.

CYCLE DE VIE

Les larves passent l'hiver dans le sol, remontent en surface au printemps pour se nourrir des racines et se transforment en nymphes au début d'été. Les adultes émergent vers la fin juin, début juillet et se nourrissent du feuillage des arbres et arbustes. Les femelles pondent des œufs à la fin de l'été. Les œufs se transforment en larves 2 semaines plus tard, elles passeront l'hiver dans le sol. (voyez plus haut à la page 110 le tableau illustrant le cycle de vie des diverses sortes de vers blancs.)

EFFETS INDÉSIRABLES

Ces adultes détruisent les feuilles, les fleurs et les fruits de plusieurs plantes. Les larves peuvent causer des plaques jaunes sur la pelouse en se nourrissant des racines. Elles peuvent également s'attaquer aux racines de certaines plantes à fleurs.

PLANTES AFFECTÉES

Rosier, bouleau, érable, cerisier, noyer, orme, pommier, prunier, saule, tilleul, aubépine, pelouse (larves).

CONTRÔLE

• Capturez et détruisez les adultes sur les arbres et arbustes en les faisant tomber dans un sceau d'eau savonneuse durant les matins frais, alors qu'elles sont léthargiques.

• Éliminez les plantes susceptibles d'attirer les scarabées dans les environs du jardin (framboisier sauvage, verge d'or, agrostides, etc.).

• Voyez à *Vers blancs* pour le contrôle des larves.

SPONGIEUSE
Lymantria dispar / Gypsy Moth

Papillon nocturne, la femelle a des ailes blanches atrophiées et un corps dodu (28 mm), incapable de voler. Le mâle est plus petit, plus foncé et vole bien. Les chenilles sont gris-bruns (65 mm) avec 6 paires de points bleus et 5 paires de points rouges sur le dos, ainsi que des touffes de poils longs. Les œufs sont pondus en masses sous une protection brun-clair veloutée.

Lymantria dispar, **papillon femelle et sa chrysalide ouverte.**

CYCLE DE VIE

Les larves passent l'hiver dans le sol, remontent en surface au printemps pour se nourrir des racines et se transforment en nymphe au début d'été. Les adultes émergent, se nourrissent des plantes, et pondent des œufs à la fin de l'été; les œufs se transforment en larves qui passeront l'hiver dans le sol.

EFFETS INDÉSIRABLES

Les chenilles mangent les feuilles de nombreuses espèces d'arbres et d'arbustes.

PLANTES AFFECTÉES

Parmi les espèces les plus touchées: chêne, sorbier, peuplier, tilleul, saule, bouleau, épinette bleue, aulne, érable negundo, mélèze, hêtre, pruche et pin.

CONTRÔLE

Voyez *Chenilles*.

SCOLYTES
Bark beetles

Les scolytes sont des coléoptères de couleur brun noirâtre à noir ou brun rougeâtre et luisant avec des antennes et des pattes plus claires. Les scolytes de l'orme et du pin se nourrissent du cambium: cette partie très active de l'arbre entre le bois et l'écorce.

Scolyte de l'orme.

Orme atteint de la maladie hollandaise transmise par le scolyte.

CYCLE DE VIE

Au Québec, les scolytes hibernent généralement sous l'écorce de l'arbre et deviennent actifs par temps chaud et ensoleillé. Après l'accouplement, les femelles forent l'écorce, les œufs sont pondus à l'entrée des galeries creusées par l'adulte. Les adultes apparaissent en juillet.

EFFETS NUISIBLES

Les plus destructeurs sont les scolytes du pin qui peuvent tuer des arbres vigoureux, parce que l'écorce et le cambium sont détruits par les insectes.

Les scolytes de l'orme (l'indigène ou l'européen) transportent sur leurs poils les spores du champignon responsable de la maladie hollandaise. L'orme est infecté au printemps quand les scolytes sortent des arbres dormants et vont se nourrir sur les rameaux. La femelle creuse une galerie principale et chaque larve creuse sa propre galerie où elle séjourne. Le champignon est toxique pour l'arbre qui essaie de se défendre en bouchant les voies de circulation de sa sève.

PLANTES AFFECTÉES

Orme, pin.

CONTRÔLE

- Evitez de planter des arbres sensibles.

- Taillez les branches attaquées aussitôt qu'une fanaison est visible.

- Coupez les arbres infestés avant l'émigration des adultes et éliminez l'écorce (ne la mettez pas dans le compost).

SYRPHES
Hover Flies

Mouches striées de noir et blanc ou jaune (8 à 22 mm), qui se postent au dessus des fleurs en volant sur place à la manière des colibris. Bien que les adultes puissent ressembler à des guêpes, par leur apparence striée, leur mimétisme n'est qu'un moyen de défense inoffensif puisqu'elles ne piquent pas. Les larves sont des asticots verts un peu translucides qui ressemblent à des limaces.

CYCLE DE VIE

Les femelles pondent leurs œufs parmi les pucerons. Deux à trois jours après les œufs éclosent. Les larves se nourrissent de pucerons pendant trois à quatre semaines, ensuite tombent sur le sol pour se transformer en nymphe. Les adultes émergent après deux semaines. Il y a deux à quatre générations par an.

Syrphe adulte (non prédatrice).

Syrphes : larve (prédatrice).

EFFETS BÉNÉFIQUES

Les larves de certaines espèces se nourrissent de plusieurs espèces de pucerons.

COMMENT LES ATTIRER

Plantez des fleurs riches en nectar et en pollen (voyez l'annexe).

TAUPES
Moles

Il y a deux sortes de taupes au Québec. La taupe à queue velue *(Parascalops breweri)* qui vit dans les forêts et les prairies au sol bien drainé, et la taupe étoilée ou condylure à nez étoilé *(Condylura cristata)* qui préfère les terrains humides et vit souvent au bord de l'eau.

Taupe à queue velue.

Les taupes creusent des galeries, qui peuvent s'enfoncer jusqu'à 50 cm de profondeur, avec leurs pattes munies de longues griffes.

EFFETS BÉNÉFIQUES

Les taupes mangent une grande quantité d'insectes nuisibles et de larves comme les vers blancs. Certaines d'entre elles mangent même des petits serpents et des campagnols.

EFFETS INDÉSIRABLES

Les taupes font des dégâts par leurs taupinières qui sont constituées de la terre déblayée dans les galeries et les tunnels d'évacuation. Dans les jardins, les taupes peuvent endommager les bulbes et les racines des plantes lorsqu'elles creusent leurs galeries. Celles-ci peuvent abriter des ravageurs plus nuisibles comme les souris des champs ou campagnols.

PRÉVENTION

• La présence d'un chat ou d'un chien peut décourager une taupe d'établir sa demeure chez vous.

• Plantes répulsives : l'euphorbe peut éloigner les taupes des endroits où elles ne sont pas bienvenues.

CONTRÔLE

Les spécialistes en gestion parasitaire et les coopératives agricoles peuvent vendre ou louer des pièges. Assurez-vous de bien connaître le mode d'emploi de ces pièges si vous choisissez ce moyen de lutte, sinon les professionnels peuvent aussi offrir le service de piégeage.

Ses prédateurs sont le renard, les rapaces, les belettes et en ville, surtout les chats.

TÉTRANYQUES
VOIR ACARIENS PHYTOPHAGES

Dégâts de thrips sur graminée.

BERNARD DROUIN, MAPAQ

THRIPS
Thrips

Piqueurs-suceurs, les thrips sont de très petits insectes (2 mm de long). Les adultes ont de petites ailes étroites bordées d'une frange de poils. Ils se retrouvent surtout dans les fleurs et sur la face inférieure des feuilles.

CYCLE DE VIE

Les adultes passent l'hiver dans des mottes, des débris de plantes ou dans des écorces d'arbres, ils deviennent actifs tôt au printemps. Les œufs sont déposés dans les tissus des plantes, ils éclosent après trois à cinq jours ; les nymphes se nourrissent pendant une à trois semaines, ensuite elles restent dans le sol ou dans les feuilles jusqu'à ce qu'elles se transforment en adulte après une à deux semaines.

EFFETS INDÉSIRABLES

En se nourrissant de la sève, ils causent de petites taches de couleur grisâtres ou argentées à la surface des feuilles attaquées. Ils provoquent des déformations et des décolorations des fleurs et des fruits attaqués. Ils peuvent transmettre des maladies virales.

PLANTES AFFECTÉES

La plupart des cultures en serres, de nombreuses espèces potagères et fruitières, des plantes vivaces et annuelles ornementales. Spécialement : iris, lis, glaïeul, rosier, dahlia, bégonia, géranium, oeillet, fuchsia.

COMMENTAIRES

Ils préfèrent les conditions chaudes et sèches. Ils sont difficiles à éliminer complètement, car les thrips ont un stade pupal dans le sol qui les rend difficile à atteindre.

• Éliminez toutes les plantes qui présentent les symptômes de maladies virales pouvant être disséminées rapidement par les thrips.

CONTRÔLE

• Libérez des acariens prédateurs du genre *Amblyseius* spp. ou *Hypoaspis* spp. en prévention avant les infestations (voyez *Acariens prédateurs*).

• Libérez des punaises prédatrices du genre *Orius tristicolor*.

• Enlevez les plants infestés du jardin rapidement pour endiguer l'infestation.

VERS BLANCS (larves de hannetons et scarabées) White grubs

Les gros vers blancs qui ravagent nos pelouses sont des larves du hanneton commun *(Phyllophaga anxia),* du hanneton européen *(Amphimallon majalis)* ou du scarabée japonais *(Popillia japonica).* Actuellement, l'espèce qui fait le plus de ravages au sud-ouest du Québec est le hanneton européen qui a un cycle d'un an (voyez le tableau à la page 110).

ÉDITH SMEESTERS

Larves du hanneton européen au printemps.

EFFETS INDÉSIRABLES

Les vers blancs mangent les racines du gazon et de plusieurs autres espèces de plantes, mais ils préfèrent les racines fibreuses des graminées. S'ils sont nombreux, le gazon jauni et s'arrache facilement à la main. Les mouffettes et les ratons laveurs en raffolent et ils peuvent endommager davantage la pelouse que les vers blancs, en creusant des trous pour les manger.

PRÉVENTION

• Gardez la pelouse longue et dense, ce qui rendra la ponte plus difficile pour les hannetons. Sursemez dès qu'il y a un espace dégarni.

• Eteignez les lumières extérieures au moment de la ponte (juin-juillet) car les hannetons sont attirés par elles.

ATTENTION, PRENEZ GARDE AU MERIT™ !*

Le Merit™ est utilisé massivement par les professionnels pour lutter contre les infestations de vers blancs. L'ingrédient actif du Merit™ est l'imidaclopride, un composé apparenté à la nicotine et qui affecte le système nerveux de la même façon : apathie, difficultés respiratoires, tremblements et spasmes. Cela provoque des lésions à la thyroïde chez les rats.

Le processus de dégradation de l'imidaclopride est très complexe et lent et certains produits de dégradation semblent plus

• Gardez la pelouse bien irriguée, elle pourra ainsi tolérer un grand nombre de vers blancs sans que les dégâts se manifestent. Par contre, les pelouses qui sont déjà affaiblies par un pH acide, ou d'autres sources de stress (ex : punaises), sont beaucoup plus vulnérables.

• Protégez les prédateurs comme les fourmis, et attirez certains oiseaux, comme l'étourneau ou le merle, qui se régalent des larves sans faire autant de dégâts que les mouffettes !

ÉDITH SMEESTERS

Dégâts causés par une infestation de vers blancs.

---

* Lettre de Élisabeth May, du Sierra Club du Canada, à la ville d'Ottawa.

dangereux que le produit lui-même, tels le 2-chloropyridine, un produit très persistant. Il est donc possible que le sol devienne plus toxique avec le temps.

L'imidaclopride lui-même est déjà très persistant dans le sol. L'étiquette mentionne que des produits comestibles ne peuvent pas être plantés avant un an, après son application. Est-ce que nos enfants (qui risquent de mâcher du gazon) ne méritent pas la même protection que les carottes ou les tomates ?

L'imidaclopride tue les prédateurs qui contrôlent les vers blancs, comme les carabes, les guêpes parasitoïdes, les fourmis ou les

nématodes et cela affecte les oiseaux qui vont manger les vers blancs. L'imidaclopride tue également les vers de terre et les abeilles qui viennent polliniser les plantes en fleurs dans les pelouses.

L'imidaclopride a reçu une homologation temporaire au Canada et seulement dans 3 provinces : la Nouvelle-Écosse, l'Ontario et le Québec. La Commissaire fédérale à l'environnement, madame Johanne Gelinas, a sévèrement critiqué l'Agence de réglementation de la lutte antiparasitaire (ARLA) pour avoir accordé des homologations à des produits aussi controversés. L'imidaclopride est interdit en France.

CONTRÔLE

• Appliquez des nématodes avec de l'eau, au moyen d'un arrosoir ou d'un pulvérisateur. Le bec du fusil d'arrosage devrait avoir une ouverture d'au moins 500 microns (0,5 mm) et il faut retirer tous les filtres qui risquent de détruire les nématodes. De plus, il ne faut pas oublier de brasser le mélange régulièrement pour conserver leur répartition homogène. L'application doit se faire en soirée et jamais au soleil. Le sol doit avoir au moins 15 °C et être bien humide. Le meilleur moment d'intervention est donc vers la fin août ou le début septembre. Avant l'application, arrosez la pelouse à fond, car ils utilisent l'eau du sol pour se déplacer jusqu'aux insectes. Une fois à l'intérieur des vers blancs, ils s'y multiplieront et les élimineront en y relâchant des bactéries mortelles pour les insectes. L'efficacité du traitement peut varier d'après les espèces de nématodes : *Heterorhabditis bacteriophora* semble le plus efficace contre le hanneton européen et *Steinernema carpocapsae*, pour le hanneton commun. Des chercheurs tentent de mettre en marché des espèces plus agressives d'ici les prochaines années.

• Il semble qu'on puisse aussi détruire une bonne quantité de vers blancs en passant un rouleau clouté ou un aérateur mécanique, à condition que le feutre ne soit pas trop épais.

Terranem de Koppert.

OÙ SE PROCURER DES NÉMATODES?

Vous pouvez en faire venir par correspondance (voyez *Prédateurs* dans Ressources).

Plusieurs jardineries au Québec offrent des nématodes de différentes compagnies.

VERS DE TERRE, LOMBRIC
Lumbricus terrestris / Earthworms

Il y a plusieurs sortes de vers de terre au Canada. Le plus connu est sans doute le lombric commun qui mesure de 9 à 30 cm et son diamètre va de 6 à 10 mm. Il creuse le sol sans relâche à la recherche de matières organiques. Le lombric est hermaphrodite, c'est-à-dire qu'il a les deux sexes, mais il doit quand même s'accoupler avec un autre ver pour se reproduire. La partie antérieure du ver comporte une bosse appelée « clitellum » qui sert lors de la reproduction. Chaque ver produit environ deux cocons par an, qui renferment 1 à 2 petits. Les lombrics n'ont pas d'yeux, mais ils sont sensibles à la lumière et au toucher. Ils respirent par la peau et ils ont besoin d'humidité pour ne pas se dessécher. Le lombric peut vivre 6 ans.

EFFETS BÉNÉFIQUES

Les vers de terre sont très utiles dans la pelouse, le potager et les parterres. Ils creusent continuellement des galeries dans le sol à la recherche de matières organiques qu'ils digèrent en la mélangeant avec la terre. Ils aèrent donc le sol tout en l'enrichissant de leurs excréments riches en minéraux et en microorganismes. Ils améliorent le drainage, ils mangent les déchets qui tombent au sol et ils diminuent la couche de chaume dans les pelouses. Les petits monticules qu'ils créent à la surface du sol sont une véritable aubaine qu'il suffit d'étaler au râteau.

COMMENT LES ATTIRER

Plus il y a de matériaux à décomposer, plus vous attirez les vers de terre.

Laissez donc le gazon coupé au sol et broyez les feuilles mortes à même votre pelouse en automne. Recouvrez constamment vos parterres de paillis et vous attirerez des milliers de vers de terre qui vont labourer le sol pour vous. On peut trouver de 500 à 5000 vers dans une terre riche et la totalité de la couche superficielle du sol passe par leur tube digestif en 10 ans.

VERS GRIS OU NOCTUELLES
Cutworm

Munies de pièces buccales de type broyeur, les chenilles mesurent de 28 à 50 mm et sont gris-bruns. Les adultes sont des papillons nocturnes qui présentent plusieurs motifs de gris et de bruns. Les chenilles s'enroulent sur elles-mêmes lorsqu'on les dérange.

BERNARD DROUIN

Larve du ver gris.

EFFETS INDÉSIRABLES

Les chenilles sectionnent les tiges des jeunes plantes au niveau du collet. Elles peuvent aussi dévorer les feuilles basales des plantes plus matures.

Adulte du ver gris.

PLANTES AFFECTÉES

Plusieurs espèces herbacées ornementales et/ou potagères. Elles peuvent aussi affecter les pelouses nouvellement implantées. Espèces surtout affectées: tulipe, narcisse, pétunia, tagète, laitue, haricot, tomate, chou.

CONTRÔLE

• Mettez un collet protecteur, de carton ou de plastique, autour des plants sensibles au moment de la transplantation. Enfoncez bien le collet à moitié dans le sol.

• Appliquez des nématodes entomopathogènes sur le sol et arrosez copieusement.

• Si un plant est coupé, cherchez le ver juste sous la surface du sol et détruisez-le.

PLANTES « INDÉSIRABLES »

Voyez aussi : « Comment se débarrasser des mauvaises herbes ? », dans le chapitre : Questions d'ordre général.

LES PLANTES SUIVANTES sont parmi les plus détestées, particulièrement par les amateurs de belles pelouses. Pourtant, beaucoup d'entre elles ne sont pas vraiment nuisibles et parfois même utiles. Ce sont nos préjugés, ou des critères esthétiques imposés par le marketing de masse, qui nous obligent parfois à les éliminer. Apprenons donc à regarder les « mauvaises herbes » avec un œil nouveau et à comprendre ce qui favorise leur multiplication. Dans certains cas, on peut utiliser des herbicides à faible impact, mais ils détruisent toute végétation et ne peuvent être utilisés que de façon localisée. Il n'existe actuellement pas d'herbicide sélectif naturel ou biologique. Il faut donc occuper les espaces dégarnis, en semant des plantes compétitives, avant que les plantes indésirables ne s'installent et éliminer celles-ci manuellement au besoin.

Cependant, n'oubliez pas que les plantes qui s'installent naturellement chez vous sont sans doute les mieux adaptées aux conditions de votre terrain. Si vous ne les aimez pas, il vous reste deux choix : modifier les conditions existantes ou choisir des plantes mieux adaptées au milieu ! En fait, les deux seules « mauvaises herbes » à bannir pour des raisons de santé au Québec sont l'herbe à la puce et l'herbe à poux. Mais ce n'est pas l'usage intensif de pesticides de synthèse qui va améliorer la santé de la population !

DIGITAIRE
Digitaria spp. / Crab-grass

Graminée annuelle au port couché qui se multiplie sur les terrains pauvres et secs.

CONTRÔLE

Sursemer du gazon à croissance rapide (raygrass) de bonne heure au printemps, avant que la digitaire ne germe. Quand vous ne semez pas de gazon, utilisez du gluten de maïs très tôt au printemps pour empêcher la digitaire de germer. Augmentez la densité et la hauteur de votre pelouse, la digitaire ne survit pas dans un gazon dense et haut.

Jeune plant d'herbe à poux.

HERBE À POUX (PETITE)
Ambrosia artemisiifolia / Ragweed

Plante annuelle dont la taille varie de 6 à 90 cm. Ses tiges poilues portent des feuilles composées. Ses fleurs mâles, qui se présentent sous forme d'épis jaune verdâtre, libèrent un pollen très allergène en août et septembre. L'herbe à poux est responsable de la rhinite allergique saisonnière (rhume des foins) chez près de 10 % de la population québécoise, ce qui cause divers malaises, des frais médicaux et un taux d'absentéisme très élevé au travail. On estime que les coûts économiques de ces diverses problématiques s'élèvent à 49 millions de dollars annuellement au Québec.

On retrouve l'herbe à poux dans les terres cultivées ou bouleversées, les terrains vacants, les pelouses dégarnies ou les bordures de trottoirs. Elle tolère les sels de déglaçage et la compaction, c'est donc une plante bien adaptée aux bords des routes, où rien d'autre ne pousse.

PRÉVENTION

• Semez des plantes vivaces compétitives adaptées au milieu.

• Ne laissez pas d'espaces dégarnis dans la pelouse.

ÉDITH SMEESTERS

Herbe à poux en fleurs.

CONTRÔLE

• Arrachez manuellement avant sa floraison (vers le début du mois d'août)

• Brûlez ou ébouillantez les plantules en bordure des trottoirs.

• Appliquez localement un herbicide à faible impact comme du savon herbicide (Topgun) ou de l'acide acétique (Ecoclear).

HERBE À LA PUCE, SUMAC
Rhus radicans / Poison Ivy

L'herbe à la puce adopte diverses formes : rampante, buissonnante ou bien grimpante. On la trouve dans les lieux secs ou humides, dans les endroits ombragés ou ensoleillés, au bord des routes, le long des clôtures, etc.

Les feuilles sont composées et comprennent trois petites folioles ovales au contour irrégulier, avec ou sans dents. La foliole centrale possède un pétiole plus long

ÉDITH SMEESTERS

Herbe à la puce.

que ceux des deux folioles latérales. Elles sont rougeâtres au printemps, deviennent graduellement vertes en été et prennent diverses teintes de jaunes, d'orange ou de rouge à l'automne. La tige est ligneuse et la plante pousse à environ 10 à 80 cm de haut. La forme grimpante peut atteindre 10 mètres.

L'herbe à la puce émet une substance (le toxicodendrol) qui est très irritante pour la peau en toutes saisons et toutes les parties de la plante sont toxiques. Le toxicodendrol provoque une irritation douloureuse sur la peau, des démangeaisons, des cloques et parfois des plaies suintantes. Les manifestations apparaissent de 24 à 48 heures après l'exposition et durent une dizaine de jours. Le contact peut être indirect : par les souliers, les animaux domestiques, etc.

CONTRÔLE

- Idéalement, arrachez les plants avec une bonne protection (gants, manches longues, etc) et jetez le tout aux ordures après usage.

- Étouffez l'herbe à la puce avec de la toile géotextile ou autre matériel durable, pendant au moins un an.

- Pulvérisez sans relâche avec un savon herbicide (Topgun) ou de l'acide acétique (Ecoclear) pendant que le plant est petit. Il faut épuiser la plante en l'empêchant de faire de la photosynthèse pendant toute la saison de croissance.

- *Attention*: ne brûlez pas la plante, car les fumées contiennent la résine toxique et peuvent causer une vive réaction allergique.

SOINS À APPLIQUER EN CAS D'EXPOSITION À L'HERBE À LA PUCE

- Lavez immédiatement à l'eau froide et sans savon, car celui-ci dissout les huiles naturelles de la peau et étend la résine toxique.

- Appliquez des compresses d'eau froide 3 à 4 fois par jours pendant 30 minutes.

- En cas de démangeaisons, appliquez du bicarbonate de soude mélangé à de l'eau ou de la calamine.

- Consultez un médecin dans les cas graves.

EDITH SMEESTERS

Lierre terrestre en fleurs (mauves) au mois d'avril.

LIERRE TERRESTRE
Glecoma hederacea / Creeping Charlie

Petite plante rampante vivace aux feuilles rondes et fleurs mauves en mai.

EFFETS BÉNÉFIQUES

Plante médicinale utilisée pour décongestionner les voies respiratoires. C'est aussi un diurétique et un remède contre les brûlures d'estomac. Il était autrefois utilisé dans le traitement du scorbut. L'odeur des feuilles froissées éloigne les moustiques.

EFFETS INDÉSIRABLES

Envahit la pelouse et les parterres, surtout dans les endroits ombragés.

CONTRÔLE

• Arrachez manuellement.

• Faites preuve de tolérance (les fleurs sont si jolies en mai !).

MOUSSE
Moss

Mousse.

Plante coussinante qui aime les endroits ombragés, humides et acides, mais certaines espèces prospèrent bien dans des conditions sèches et ensoleillées.

EFFETS BÉNÉFIQUES

Nul besoin de tondre une pelouse composée de mousse ! Qui a décidé que les pelouses étaient faites seulement de graminées ?

CONTRÔLE

Modifiez les conditions qui favorisent son installation ou plantez d'autres végétaux adaptés à un milieu ombragé et frais : pervenche, muguet, raisin d'ours, etc.

PISSENLIT
Taraxacum officinalis / Dandelion

Voyez aussi : « Comment éviter les pissenlits dans la pelouse ? » dans le chapitre « Questions d'ordre général ».

Est-il besoin de décrire cette « mauvaise herbe » tellement détestée par les propriétaires de pelouses ? C'est pourtant aussi une plante médicinale, qui

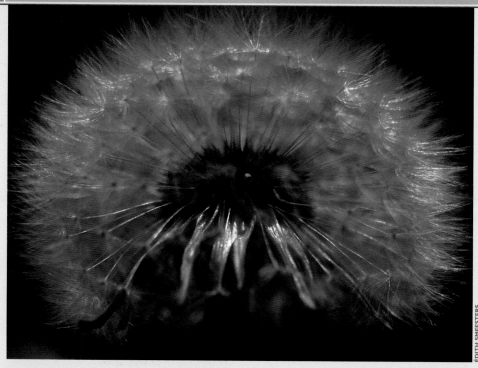

prospère très bien sous notre climat. Les pissenlits sont des plantes qui s'installent à peu près n'importe où, du moment qu'il y a une place vacante au soleil. Les pelouses clairsemées sont donc leurs endroits de prédilection. Ils tolèrent les sols pauvres, compacts, acides et secs. C'est probablement la plante la mieux adaptée aux chaleurs estivales et aux périodes de sécheresse qui nous frappent alors que les arrosages sont interdits.

EFFETS BÉNÉFIQUES

Les pissenlits stabilisent les sols pauvres et aèrent les sols compacts. Leur racine pivotante va chercher les minéraux en profondeur et les ramène en surface, préparant le sol pour des plantes plus exigeantes. C'est aussi une plante médicinale : diurétique et tonique, elle est très riche en fer et en vitamine C.

CONTRÔLE

Il y a plusieurs moyens de contrôler l'expansion des pissenlits dans une pelouse, mais il est très difficile et fastidieux de l'éliminer totalement. Voici néanmoins quelques trucs :

• Gardez la pelouse dense avec des méthodes culturales qui favorisent les graminées au détriment du pissenlit :

coupe haute, aération, terreautage, fertilisation adéquate, pH équilibré, etc.

- Sursemez les espaces dégarnis aussitôt que possible.

- Si elle est bien dense, traitez la pelouse avec le gluten de maïs pour éviter la germination. *Attention :* le gazon ne germera pas non plus durant une période de 6 à 7 semaines !

- Traitez localement avec du savon herbicide, du gros sel ou de l'acide acétique.

- Arrachez-les manuellement. Travaillez durant la floraison pour plus d'efficacité sur des plants déjà épuisés et avant la formation des graines pour éviter leur multiplication.

PLANTAIN
Plantago spp. / Plantain

Plante vivace aux feuilles vertes très larges. Une forte concentration de plantain est une indication de sol compacté.

EFFETS BÉNÉFIQUES

Le plantain est une plante médicinale. Ses feuilles sont utilisées pour soulager les piqûres et les brûlures.

CONTRÔLE

- Arrachez manuellement.

- Brûlez au gaz propane.

- Appliquez du gros sel (localement).

- Aérez le sol.

ÉDITH SMEESTERS

Plantain majeur.

MALADIES

PLUSIEURS MALADIES affectent les plantes ornementales : mildiou, rouille, tavelure, etc.

Il existe des fongicides à faible impact, comme la chaux soufrée et la bouillie bordelaise, mais ces produits ne peuvent enrayer une maladie qui est installée. Le meilleur moyen de les contrôler à long terme est de remplacer les espèces sensibles aux maladies par des espèces ou cultivars résistants.

EDITH SMEESTERS

Anthracnose sur pivoine.

ANTHRACNOSE
Colletotrichum spp. / Anthracnose

La maladie survient d'abord sur les feuilles sous forme de petites taches jaunes ou brunes. Ces taches sont de taille variable et peuvent envahir toute la feuille et atteindre les rameaux. Le champignon passe l'hiver sur les feuilles tombées au sol et infecte les nouvelles feuilles l'année suivante.

PLANTES AFFECTÉES

Chêne, frêne, érable, bouleau, saule, tilleul, gadelier alpin, troène, lupin, pivoine.

PRÉVENTION

Ramassez et jetez les feuilles aux ordures.

Irriguez et fertilisez l'arbre ou les plantes pour améliorer leur vigueur.

CONTRÔLE

Aucun. Une plante vigoureuse peut survivre à cette maladie sans conséquences graves.

BLANC OU OÏDIUM
Powdery mildew

MICHEL SARRAZIN

Maladie fongique qui se manifeste par l'apparition de plaques poussiéreuses blanches sur la face supérieure des feuilles et sur les jeunes rameaux dont les boutons s'atrophient. Cette maladie est souvent confondue avec le mildiou car le nom anglais (powdery mildiou) prête à confusion.

Le blanc est souvent confondu avec le mildiou.

PLANTES AFFECTÉES

Rosier, lilas, pommier, groseillier, framboisier, prunier, phlox, chêne, aubépine, bouleau, hortensia, bégonia, dahlia.

PRÉVENTION

• Remplacez les plantes affectées par des espèces résistantes à l'oïdium.

• Taillez pour améliorer la circulation de l'air.

• Pulvérisez avec des produits soufrés avant l'installation de la maladie.

• Plantez les plantes sensibles, comme les phlox, dans des endroits bien ensoleillés.

• Pulvérisez au stade dormant avec une décoction de prêle *(Equisetum arvense)* ou de l'urée (urine).

CONTRÔLE

Aucun, les dommages sont surtout esthétiques.

BRÛLURE BACTÉRIENNE *Pseudomonas* spp. /
Bacterial blight, *Erwinia amylovorum* / Fire blight

PETER NEUMANN

La brûlure bactérienne affecte d'abord les fleurs. On constate alors le noircissement des pétales. Par la suite, la maladie se propage aux autres parties de l'arbre.

Les symptômes les plus typiques sont visibles sur les jeunes rameaux en pleine croissance. Une fois atteints, ils fleurissent et leurs extrémités se courbent en forme de canne. Les feuilles et les bouquets floraux touchés se dessèchent et prennent une texture particulière rappelant le

Brûlure bactérienne sur sorbier.

cuir. Quant aux fruits, ils se momifient et restent sur l'arbre toute la saison et même l'hiver suivant l'infection. Une zone affaissée (chancre) se développe sur les rameaux affectés; l'écorce est alors de couleur plus foncée et un liquide de couleur ambrée en exsude. Celui-ci contient les bactéries qui seront transportées par les insectes et par les éclaboussures de pluie pour créer d'autres infections au cours de la saison.

PLANTES AFFECTÉES

Poirier, pommier, aubépine, lilas, sorbier, cotonéastre.

PRÉVENTION

Taillez 30 cm en bas de la zone infectée et désinfectez bien les sécateurs avec une solution d'alcool à friction.

Remplacez les plants affectés par des cultivars résistants.

Pulvérisez un fongicide à faible impact Il faudrait éviter les traitements quand les bourgeons ont atteint I cm (car il peut y avoir un roussissement des jeunes fruits).

CONTRÔLE

On ne peut pas contrôler l'expansion de cette maladie. Aussi, il est recommandé d'éliminer et de détruire les plants atteints en les brûlant pour empêcher la contamination des plants sains environnants. Il faut également désinfecter minutieusement les outils de coupe, entre chaque plant, avec une solution d'eau de javel à 10 % (10 ml d'eau de javel pour 100 ml d'eau) pour les mêmes raisons.

EDITH SMEESTERS

Un excellent champignon comestible : l'agaric.

CHAMPIGNONS
Mushrooms

Les champignons (les gros avec un chapeau) qui se développent dans la pelouse, ou dans les parterres, sont souvent reliés avec une souche ou du bois en décomposition dans le sol. Si on veut éliminer ces champignons, il faut déterrer la matière ligneuse en cause. D'autres champignons, comme les coprins chevelus, ne dépendent pas de matière ligneuse pour se développer. La plupart des champignons ne sont pas toxiques au Québec et plusieurs sont comestibles. Informez-vous auprès d'un club de mycologie !

CHANCRES
Canker

Les principaux chancres sont le chancre européen, le dépérissement nectrien et le chancre noir. Il est parfois assez difficile de les distinguer les uns des autres. Certaines similarités avec la brûlure bactérienne compliquent davantage leur identification.

Les champignons responsables des chancres s'attaquent à une multitude d'arbres et d'arbustes forestiers et ornementaux. La proximité des forêts contribue à la gravité des symptômes dans les vergers.

MICHEL SARRAZIN

Chancre sur peuplier.

PLANTES AFFECTÉES

Bouleau, cerisier, charme, chêne, épinette, févier, frêne, marronnier, orme, poirier, pommier, peuplier, prunier, saule.

PRÉVENTION

- Remplacez les arbres malades par des espèces qui ne sont pas affectées par le chancre.

- Évitez de blesser le tronc des arbres avec les coupe-bordures ou les tondeuses à gazon.

CONTRÔLE

- Enlevez et détruisez les branches atteintes. Sur le tronc, découpez la partie infectée ainsi que 5 cm d'écorce saine autour.

- Nettoyez bien tous les outils utilisés entre chaque coupe, avec une solution d'eau de javel à 10 % (10 ml d'eau de javel pour 100 ml d'eau), afin d'éviter de répandre la maladie sur d'autres branches ou arbres.

MILDIOU
Downy mildew

Maladie fongique qui se caractérise par l'apparition d'une poudre blanche sur la face inférieure des feuilles, provoquant des nécroses sur la face supérieure. Les dommages sont surtout esthétiques.

ÉDITH SMEESTERS

Mildiou sur viorne.

PLANTES AFFECTÉES

Aubépine, chêne, frêne, lilas, peuplier, pommetier, saule, tilleul, vinaigrier, muflier, alyssum, lilas, saule, vigne vierge, chèvrefeuille, framboisier.

PRÉVENTION

• Choisissez ou remplacez les plantes très sensibles au mildiou par des plantes résistantes à la maladie.

• Augmentez la circulation de l'air autour des arbres et autres plantes affectées, par une bonne taille.

CONTRÔLE

Enlevez et détruisez les parties infectées.

NODULE NOIR
Black knot

MICHEL SARRAZIN

Cette maladie fongique affecte les branches et les rameaux qui portent des excroissances noires ou nodules cylindriques, d'aspect rugueux et charbonneux.

PLANTES AFFECTÉES

Cerisier, prunier...

PRÉVENTION

Remplacez les arbres affectés par des espèces résistantes au nodule noir.

CONTRÔLE

Coupez les branches affectées, au moins 7,5 cm sous la gale. Désinfectez le sécateur après chaque coupe avec une solution d'alcool à friction (10 ml d'eau de javel pour 100 ml d'eau).

Rouille sur rose trémière.

ROUILLE
Rust

EDITH SMEESTERS

Maladie fongique qui se manifeste par de petites taches circulaires jaunes, oranges, rouges et parfois noirâtres. Les champignons de ce genre ont un cycle assez complexe qui nécessite l'infection de deux hôtes en alternance.

PLANTES AFFECTÉES

Février, rosier, genévrier, pommetier, aubépine, roses trémières, géranium.

PRÉVENTION

- Ramassez et détruisez les feuilles et les branches atteintes pour éliminer les spores.

- Lorsque c'est possible, le plus simple consiste à éliminer une des plantes hôtes dans un périmètre de 150 mètres autour du plant affecté. Cela peut diminuer beaucoup la maladie, voire même l'enrayer complètement. Les dégâts sont surtout d'ordre esthétique et menacent rarement la vie des plantes affectées.

CONTRÔLE

Faites 2 applications de fongicide à faible impact à 10 jours d'intervalle au printemps.

TAVELURE
Scab

Maladie fongique qui se manifeste par des taches brunes et noires sur les feuilles et les fruits. Dans les cas graves, les feuilles tombent et les fruits se déforment sous l'effet de ces croûtes noires qui freinent leur croissance.

PHOTOS : ÉDITH SMEESTERS

Tavelure sur pommes et sur feuille.

PLANTES AFFECTÉES

Pommier, poirier.

PRÉVENTION

- Ramassez et détruisez les feuilles et les fruits affectés.

- Déchiquetez les feuilles avec la tondeuse afin d'accélérer le travail des organismes décomposeurs.

- Pulvérisez de l'urée (ou de l'urine) pure sur l'arbre au stade dormant pour détruire les spores.

- Arrosez avec de la chaux soufrée après chaque pluie.

- Taillez l'arbre pour améliorer la circulation de l'air.

- Remplacez les arbres par des cultivars résistants à la tavelure.

CONTRÔLE

Il n'y a aucun moyen naturel de détruire la maladie une fois installée, mais elle ne menace pas la vie des arbres affectés. Les dommages sont surtout esthétiques.

RÉPONSES AUX ARGUMENTS EN FAVEUR DES PESTICIDES

Voici quelques arguments qui nous sont souvent servis par des ardents défenseurs de l'utilisation des pesticides.

SANTÉ

ARGUMENT

« Il n'y a pas de *preuves* de la toxicité des pesticides ! ».

RÉPONSE

La toxicité aiguë des pesticides est facile à démontrer, mais souvent minimisée car personne ne meurt instantanément en marchant sur une pelouse traitée aux pesticides et les 0s 1500 cas d'intoxication signalés annuellement par le centre anti-poison ne semblent pas alarmer le grand public.

Cependant, il faut être bien conscient que l'intoxication aiguë n'est que la pointe de l'iceberg. L'intoxication chronique aux pesticides (surtout à petites doses) est beaucoup plus inquiétante, quoique beaucoup plus difficile à démontrer à l'heure actuelle. Mais il existe suffisamment d'études qui démontrent que les pesticides sont associés à des problèmes de santé à long terme pour que l'on puisse appliquer le *principe de précaution*. C'est ce que pensent de nombreux scientifiques et c'était la conclusion de la cour suprême dans le jugement qui opposait la ville de Hudson à deux compagnies de pesticides (juin 2001). C'est aussi l'avis de la Commissaire générale à l'environnement et au développement durable, madame Johanne Gélinas.

EDITH SMEESTERS

Une application de pesticides atteint souvent bien plus que la cible visée.

Comment ne pas s'inquiéter de l'augmentation alarmante des « maladies environnementales » (asthme, allergies, fatigue chronique, etc.), dont on ne comprend pas bien la cause ? De plus en plus de personnes se retrouvent hypersensibles en présence de très faibles quantités de substances chimiques dans leur environnement et vivent un enfer durant la période estivale, période propice à l'application de pesticides dans leur voisinage. Même si les causes de leurs maux demeurent difficiles à établir, les pesticides affectent directement leur qualité de vie actuelle car ces personnes ne tolèrent plus le moindre polluant dans leur environnement. L'exposition involontaire de toute une population à des pesticides chimiques n'est pas acceptable.

Il y a aussi suffisamment d'études qui démontrent les effets néga-tifs des pesticides chimiques sur notre *environnement*. De nom-breux pesticides détruisent des insectes utiles et la biodiversité, qui est pourtant la clé d'un environnement sain. Ils affectent aussi des milliers de plantes bénéfiques qui attirent des prédateurs, qui à leur tour empêchent les infestations !

ARGUMENT

« Des scientifiques reconnus ont démontré que les pesticides étaient sécuritaires ».

RÉPONSE

La science évolue et d'éminents chercheurs ont soutenu des théories qui s'avèrent erronées aujourd'hui. L'inventeur du DDT a mérité le prix Nobel, mais son produit est maintenant banni depuis plusieurs décennies au Canada et dans la plupart des pays occidentaux à cause de sa toxicité et de sa persistance dans l'envi-ronnement.

Bien sûr, les études effectuées par l'industrie, pour la mise en mar-ché, démontrent que leurs produits ne sont pas dangereux « lors-qu'ils sont utilisés dans de bonnes conditions » ! Cependant, les pesticides sont testés, un produit à la fois, dans des conditions ar-tificielles. Cela signifie que les arguments pour minimiser l'impact des pesticides sur la santé se trouvent anéantis car, dans la vraie vie, à l'extérieur des laboratoires, nous nous trouvons exposés à tout une panoplie de mélanges (herbicides, insecticides, fongi-cides, acaricides) et non pas à un seul produit. Les quelques re-cherches qui étudient les effets combinés des pesticides sont alar-mants et les mélanges de pesticides semblent beaucoup plus dangereux que les produits testés seuls en laboratoire.*

* Au, W.W., Sierra-Torres, C.H., Cajas-Salazar, N., Shipp, B.K. et M.S. Legator (1999) : *Cytogenetic effects from exposure to mixed pesticides and the influence from genetic susceptibility. Environmental Health Perspectives.* Vol 107, no.6 p. 501-505.

ARGUMENT

« Les statistiques du centre anti-poison démontrent que les empoisonnements sont causés principalement par des ingestions accidentelles et non par le contact avec des surfaces traitées ».

RÉPONSE

Les intoxications rapportées ne sont que la pointe de l'iceberg, car seules les intoxications aiguës sont rapportées. Par ailleurs, les intoxications aux pesticides sont fort probablement sous-évaluées, car la plupart des médecins ne sont pas formés pour reconnaître ou même prêter attention à un empoisonnement aux pesticides: le cours d'introduction à la toxicologie est offert en option durant l'année préparatoire (optionnelle) au cours de médecine. Par exemple, à l'Université de Montréal*, ce cours ne présente même pas les effets des pesticides.

ARGUMENT

« Les belles pelouses produisent de l'oxygène, stabilisent le sol, diminuent les allergies, etc. »

RÉPONSE

Il est évident que les pelouses ont un rôle important en aménagement paysager, mais il n'est pas nécessaire de les bombarder de produits chimiques pour qu'elles produisent de l'oxygène !

Les pelouses biologiques et naturelles ont toutes les qualités d'un vert de golf et bien plus, puisqu'on n'utilise pas de produits toxi-

---

* Communication personnelle avec Dr Tardif, toxicologue, Université de Montréal (2002).

PESTICIDES/ UTILISATION

ques pour les entretenir. Que les pelouses « parfaites » diminuent les allergies, c'est très discutable, puisque plusieurs pesticides utilisés pour les obtenir affectent le système immunitaire, incluant le 2,4-D (Killex) ! De plus, les graminées sont beaucoup plus allergènes que les pissenlits. L'herbe à poux, quant à elle, ne pose pas de problèmes dans une pelouse dense et coupée régulièrement.

ARGUMENT

« Les pesticides sont sécuritaires lorsqu'ils sont utilisés correctement ».

RÉPONSE

La plupart des professionnels en horticulture ne se protègent pas correctement (pas de masque ou autre équipement de protection), pour ne pas effrayer les clients. De plus, la plupart des gens qui achètent et appliquent des pesticides eux-mêmes ne lisent pas les petits caractères sur les étiquettes. Il est illégal aujourd'hui d'affirmer que les pesticides sont sécuritaires.

BENOIT GINGRAS

Pratiquement aucun applicateur de pesticides ne porte de masque lorsqu'il traite un terrain en milieu urbain, ce qui est contraire à l'étiquetage de la plupart des pesticides.

PESTICIDES/ VENTES

ARGUMENT

« L'industrie de l'horticulture va s'effondrer si on interdit les pesticides de synthèse, car les gens qui délaissent leur pelouse, délaissent leur terrain ».

RÉPONSE

L'entretien des pelouses ne devrait pas être basé uniquement sur l'usage de pesticides et d'engrais chimiques et de nombreuses compagnies offrent déjà des services beaucoup plus diversifiés, comme l'aération, le terreautage, l'analyse du sol, l'application d'engrais naturels, des services conseils, etc.

Il y a de plus en plus d'intérêt pour des aménagements autres que des pelouses (couvre-sols, plates-bandes, prés fleuris, xéropaysage, etc.).

ARGUMENT

« Il y aura une utilisation clandestine de pesticides chimiques s'il y a un bannissement ».

RÉPONSE

Il y aura toujours des contrevenants, comme sur les routes. Pour réussir le virage écologique en aménagement paysager au Québec, il faudra une vaste campagne de sensibilisation comme celle qu'on a entreprise contre le tabac. Lorsque la majorité sera convaincue que les pesticides représentent un danger pour leur santé, les pelouses « parfaites » seront très mal vues. Il faut créer un sentiment de fierté envers la biodiversité dans la pelouse.

CONSOMMATEURS

STÉPHANIE BISSON

La biodiversité, ça commence dans votre pelouse !

ARGUMENT

« Les coûts de la pelouse écolo sont trop élevés ».

RÉPONSE

Aussi longtemps qu'on exigera des pelouses « parfaites », il faudra investir des sommes considérables pour se battre contre les ravageurs et les pissenlits, pour installer un système d'irrigation, etc. Mais une véritable pelouse naturelle coûte en fait beaucoup moins

ÉDITH SMEESTERS

Notre eau potable peut être contaminée par une utilisation excessive d'engrais solubles (nitrates).

cher et représente moins de travail. En effet, lorsqu'on a semé les bonnes variétés de semences en fonction du milieu et qu'on a investi un minimum d'effort pour améliorer le sol au départ, on arrête de se battre contre les « mauvaises herbes » et les insectes, qui deviennent les bienvenus dans la pelouse. Il suffira de mettre de l'engrais naturel à 100 %, une ou deux fois par an, et de tondre régulièrement à 8 cm de haut (3 po). Mais il ne faudra plus ramasser le gazon coupé, ni déchaumer, ni se battre constamment contre les soi-disant ravageurs de pelouse. L'arrosage sera considérablement réduit, voire annulé, avec un bon choix de plantes. De plus, les feuilles mortes pourront être broyées directement sur la pelouse pour enrichir le sol, économisant ainsi la corvée (et les coûts) de l'élimination des feuilles en automne.

Par contre, il faudrait calculer les vrais coûts sociaux et environnementaux de la pelouse « parfaite » : contamination de l'eau potable par les engrais solubles et les pesticides, production de déchets (gazon coupé, contenants de pesticides, feuilles mortes) gaspillage d'eau potable (gicleurs), soins de santé à cause de l'intoxication aux pesticides, etc.

ARGUMENT

« La plupart des gens exigent des pelouses parfaites, sans mauvaises herbes ».

RÉPONSE

Le marketing a un effet impressionnant sur la population ! Or, les dépliants publicitaires que nous recevons actuellement ne montrent que des tapis impeccables, sans fleurs sauvages. Il faudra donc modifier la publicité et faire une vaste campagne de sensibilisation pour qu'un véritable virage écologique soit possible. Les compa-

ÉDITH SMEESTERS

gnies qui offrent un service vraiment naturel vont focaliser sur la densité de la pelouse, sa capacité de traverser la sécheresse et la sécurité pour la santé et l'environnement.

Il y a un grand marché potentiel pour des services en horticulture écologique avec la tendance actuelle pour les produits naturels. Il y a malheureusement beaucoup de publicité trompeuse. Un programme de certification est en cours afin d'identifier les compagnies qui offrent un véritable service écolo à partir du printemps 2005.

Un programme de certification sera en place au printemps 2005 afin d'identifier les entrepreneurs vraiment écologiques.

ARGUMENT

« Les pelouses seront laides et les maisons vont perdre de la valeur si on ne peut plus utiliser de pesticides ».

RÉPONSE

Certaines villes ont des règlements pour restreindre l'usage des pesticides depuis plus de 10 ans (Westmount et Hudson) et les maisons semblent garder une très bonne valeur. De très beaux jardins publics n'utilisent pratiquement plus aucun pesticide de synthèse, incluant le jardin botanique de Montréal. La plupart des horticulteurs chevronnés (Larry Hodgson, Jean-Claude Vigor, Albert Mondor) n'utilisent pas de pesticides.

Il faut comprendre qu'une pelouse laide n'est pas causée par un manque de pesticides, mais plutôt par un mauvais choix de semences, un manque de soins adéquats ou des conditions défavorables (sécheresse, sol pauvre, piétinement, etc.).

Même le jardin botanique s'est mis à la mode du
gazon écolo et voyez le résultat !

ARGUMENT

« Plusieurs personnes sont allergiques à certaines mauvaises
herbes, entre autres à l'herbe à poux et aux pissenlits ».

RÉPONSE

L'herbe à poux n'est pas un problème dans une pelouse dense et
coupée régulièrement. Par ailleurs, l'élimination de l'herbe à poux
dans les terrains vacants est beaucoup plus efficace et durable par
l'arrachage, la tonte et l'ensemencement de plantes vivaces compétitives (trèfle, achillée, etc.), que par l'usage d'herbicides. Les
campagnes de la Ville de Montréal, en ce qui concerne l'enlève-
ment de l'herbe à poux, ont prouvé le lien entre la qualité de l'air
et les actions effectuées et ce, sans herbicides !

De plus, les gens qui sont allergiques aux pissenlits (un allergène mineur), le sont certainement davantage aux graminées et aux bouleaux (des allergènes majeurs). Faudrait-il éliminer toutes ces plantes là aussi, donc les pelouses ? Les pesticides peuvent induire des allergies et ne sont certainement pas la solution à long terme à ce problème !

Aperçu de la présence de pollens allergènes à Montréal*.

Arbres	Jan.	Fév.	Mars	Avril	Mai	Juin	Juil.	Août	Sept.	Oct.	Nov.	Dec.
Aulne			▮▮▮▮▮▮									
Bouleau				▮▮▮								
Chêne				▮▮▮▮								
Érable			▮▮▮▮									
Orme			▮▮									
Peuplier			▮▮▮									
Herbe à poux							▮▮▮▮▮▮▮▮					
Herbes					▮▮▮▮▮▮▮▮							

* http://www.meteomedia.com/bulletins/pollen

AGRICULTURE

ARGUMENT

« L'utilisation domestique de pesticides chimiques est minime par rapport à l'usage agricole ».

RÉPONSE

S'il est vrai que les agriculteurs utilisent la majorité des pesticides au Québec (80 %), on utilise cependant plus de pesticides, au mètre carré, sur une pelouse que sur un champ de céréales ! De plus, le contact avec les pesticides est beaucoup plus direct en milieu urbain, à cause de la densité de population, et les enfants ne jouent pas tellement dans les champs de maïs, mais bien sur les pelouses !

De plus, un changement d'habitude en milieu urbain risque d'influencer l'agriculture. En effet, lorsqu'on comprend que les pesticides sont dangereux sur notre pelouse, on n'en veut plus dans nos fruits et légumes non plus, ce qui peut créer une plus grande demande pour des produits biologiques.

ÉDITH SMEESTERS

Le virage écologique en agriculture dépend aussi de nos choix comme consommateurs !

Il est certain que si nous voulons effectuer un virage écologique en agriculture, il faudrait d'abord commencer par éliminer les pesticides appliqués pour des raisons purement esthétiques !

TERRAINS SPORTIFS

ARGUMENT

« Il est impossible d'avoir des pelouses écologiques dans les golfs ».

RÉPONSE

Ce sont surtout les attentes de joueurs de golf qu'il faut modifier si nous voulons des terrains plus écologiques. Ne jouait-on pas au golf y a 100 ans, alors que les pesticides n'existaient pas ? Les moyens techniques actuels ont permis de créer des surfaces extrêmement « parfaites », mais qui sont très dépendantes des pesticides, des engrais et de l'eau. Il y a donc tout un virage à effectuer, tant technique que psychologique !

Certains terrains de golfs ont cependant déjà obtenu une réduction de 90 % de pesticides avec des méthodes culturales et des produits naturels. Le problème majeur est l'agrostide : une sorte de gazon qui compose les « verts » et qui est très susceptible aux maladies.

Plusieurs solutions devraient être envisagées pour régler ce problème : remplacer l'agrostide par de nouveaux cultivars résistants aux maladies, par d'autres plantes (le serpolet ?) ou encore par des surfaces synthétiques.

ÉDITH SMEESTERS

Les joueurs de golf doivent modifier leurs exigences si nous voulons des terrains de golfs plus écolos.

ARGUMENT

« **Les risques d'accidents sont plus élevés sur les terrains de soccer sans pesticides et les joueurs exigent des surfaces** *parfaites* ».

RÉPONSE

Les accidents augmentent lorsque le terrain n'est pas bien entretenu, ce qui n'est pas synonyme d'un manque de pesticides. Le problème majeur des terrains de soccer c'est leur sur-utilisation, ce qui provoque des trous, un sol compacté et dégarni. L'abondance de « mauvaises herbes » est donc surtout reliée à cet usage intense et à un manque d'eau. Cela peut être corrigé par des méthodes culturales, un système d'irrigation, une clôture et une rotation entre les terrains pour permettre une régénération de l'herbe (les spécialistes ne recommandent pas plus de 25 h d'utilisation par semaine).

La plupart des terrains de soccer au Québec sont sur-utilisés et dégarnis et pourtant la pratique de ce sport est en hausse et les jeunes s'amusent. En Angleterre, les jeunes jouent souvent dans la boue (car il pleut beaucoup en été)… et ils adorent ça!

Les joueurs qui exigent des surfaces parfaites ne sont probablement pas sensibilisés aux dangers des pesticides. Par ailleurs, il existe des surfaces artificielles pour les terrains de compétition de haut niveau si les standards exigent des surfaces parfaites (ce qui n'est pas très réaliste et très coûteux).

Terrain de soccer synthétique à l'Université de Montréal: plus besoin de pesticides, ni d'arrosage!

ANNEXE

PLANTES ORNEMENTALES RICHES EN NECTAR ET EN POLLEN, QUI ATTIRENT LES INSECTES PRÉDATEURS

(Traduit et adapté de l'anglais, avec permission, d'après Organic Land Care Course, BC : http://www.organic-land-care.com/)
Notez qu'il est toujours important de réaliser un aménagement qui comprend une grande
diversité de fleurs et qui fleurissent du début du printemps à la fin de l'automne.

NOM LATIN	NOM FRANÇAIS	NOM ANGLAIS	PRÉDATEURS ATTIRÉS
Achillea spp.	Achillée	Yarrow	Coccinelles, guêpes parasitoïdes, chrysopes, syrphes
Agrostemma spp.	Nielle des blés	Corn cockle	Coccinelles, guêpes parasitoïdes
Ajuga reptans	Bugle rampante	Carpet bugleweed	Syrphes, coccinelles
Allium spp.	Ail ornemental	Allium	Guêpes parasitoïdes
Alyssum saxatile	Corbeille d'or	Basket-of-gold	Toutes sortes
Amaranthus spp.	Amaranthe	Love-Lies-Waiting	Carabes

Nom latin	Nom français	Nom anglais	Insectes bénéfiques attirés
Ammi majus	Amni	Queen Anne's lace	Guêpes parasitoïdes, punaises anthocorides, syrphes
Anethum graveolens	Aneth	Dill	Chrysopes, cécidomyies, coccinelles, syrphes, guêpes parasitoïdes, et plusieurs autres
Angelica gigas	Grande angélique	Angelica	Chrysopes, coccinelles et guêpes
Anthemis spp.	Camomille	Golden marguerite	Guêpes parasitoïdes, mouches tachinides, chrysopes, coccinelles, syrphes
Asclepias spp.	Asclépiade	Butterfly weed	Coccinelles
Aster spp. (*Symphyothricum*)	Asters	Aster	Syrphes, ichneumons
Astrantia major	Grande Astrance	Masterwort	Syrphes, guêpes parasitoïdes
Atriplex canescens	Arroche	Four-wing Saltbush	Chrysopes, coccinelles, syrphes, et guêpes
Buddleia spp.	Buddleia Arbustes aux papillons	Butterfly bush	Toutes sortes
Calendula spp.	Soucis	Calendula	Toutes sortes
Callirhoe involucrata	Callirhoe	Purple poppy mallow	Chrysopes, syrphes, guêpes parasitoïdes
Carum carvi	Carvi	Caraway	Mouches tachinides, chrysopes, syrphes, guêpes parasitoïdes, punaises nabides

NOM LATIN	NOM FRANÇAIS	NOM ANGLAIS	PRÉDATEURS ATTIRÉS
Ceanothus spp.	Ceanothe	California lilac	Toutes sortes
Cerastium spp.	Céraiste	Chickweed	
Cheiranthus spp.	Giroflée	Wallflower	Toutes sortes
Chrysanthemum maximum	Grande marguerite	Shasta daisy	Toutes sortes
Chrysanthemum parthenium	Grande camomille	Feverfew	Syrphes
Convolvulus tricolor	Belle de jour	Morning glory	Syrphes
Coriandrum sativum	Coriandre	Coriander	Chrysopes, coccinelles, syrphes, guêpes parasitoïdes, punaises anthocorides, mouches tachinides
Cosmos bipinnatus	Cosmos	Cosmos	Punaise géocorine, chrysopes, coccinelles, punaises nabides, punaises anthocorides, mouches tachinides, syrphes, guêpes parasitoïdes, araignées
Coreopsis spp.	Coréopsis	Tickweed	Syrphes, chrysopes, coccinelles, guêpes parasitoïdes

Crocus spp.	Crocus	Crocus	Guêpes braconides
Daucus carota	Carotte sauvage	Queen Anne's lace (Wild carrot)	Chrysopes, guêpes prédatrices, punaises anthocorides, mouches tachinides, coccinelles, syrphes, guêpes parasitoïdes, punaises géocorines
Echinacea spp.	Échinacée	Coneflower	Toutes sortes
Eriogonum spp.	Ériogones	Wild buckweed	Syrphes, punaises anthocorides, punaises géocorines, guêpes parasitoïdes, mouches tachinides, mouches chloropides
Erysimum spp.	Giroflée	Perennial wallflower	Toutes sortes
Fagopyron esculentum	Sarrasin	Buckwheat	Syrphes et plusieurs autres
Foeniculum vulgare	Fenouil	Fennel	Syrphes, chrysopes, coccinelles, paper guêpes, punaises soldats, guêpes parasitoïdes, punaises géocorines, punaises nabides, minute punaises anthocorides, predatory guêpes, mouches tachinides, guêpes brachonides et autres guêpes
Hedera spp.	Lierre	Ivy	Syrphes, mouches tachinides, guêpes braconides et autres guêpes
Helianthus spp.	Tournesol	Prairie sunflower	Chrysopes, coccinelles

NOM LATIN	NOM FRANÇAIS	NOM ANGLAIS	PRÉDATEURS ATTIRÉS
Heliotropium spp.	Héliotrope	Heliotrope	Toutes sortes
Iberis spp.	Corbeille d'argent	Candytuft	Toutes sortes
Lavandula spp.	Lavande	Lavender	Syrphes
Limonium latifolium	Statice, immortelle	Statice	Syrphes, guêpes parasitoïdes
Linaria vulgaris	Linaire	Butter and eggs	Syrphes, guêpes parasitoïdes
Lobelia erinus	Lobélie	Lobelia	Syrphes, guêpes parasitoïdes
Lobularia maritima	Alysse annuelle	Annual (Sweet) alyssum	Syrphes, chrysopes, guêpes parasitoïdes, punaises anthocorides, guêpes chalcidoïdes, mouches tachinides
Lychnis coronaria	Lychnis, coquelourde	Crown pink	Syrphes, guêpes parasitoïdes
Medicago sativa	Luzerne	Alfalfa	Minute punaises anthocorides, punaises géocorines, punaises nabides, punaises assassines, lady bugs, guêpes parasitoïdes
Melilotus alba	Mélilot	White sweet clover	Guêpes parasitoïdes

Melissa officinalis	Mélisse	Lemon Balm	Mouches tachinides, syrphes, guêpes parasitoïdes
Mentha pulegium	Menthe	Pennyroyal	Mouches tachinides, syrphes, guêpes parasitoïdes, punaises nabides
Mentha spicata	Menthe poivrée	Spearmint	Syrphes, mouches tachinides, punaises nabides
Monarda spp.	Monarde	Beebalm	Syrphes
Oenothera laciniata, O. biennis	Oenothère, onagre	Evening primrose	Carabes
Pastinaca sativa	Panais sauvage	Parsnip	Guêpes parasitoïdes
Penstemon strictus	Penstémon	Rocky Mt. Penstemon	Coccinelles, syrphes
Petroselium crispum	Persil	Parsley	Mouches tachinides, guêpes parasitoïdes, syrphes
Phacelia tanacetifolia	Phacélie	Phacelia	Tachinides
Pieris spp.	Andromède	Pieris	Ichneumons
Polygonum aubertii (Fallopia aubertii)	Renouée du Turkestan	Silver lace vine	Mouches tachinides, syrphes
Potentilla spp. *(Dasiphora)*	Potentille	Potentilla	Syrphes, guêpes parasitoïdes, coccinelles, guêpes parasitoïdes

NOM LATIN	NOM FRANÇAIS	NOM ANGLAIS	PRÉDATEURS ATTIRÉS
Robinia pseudoacacia	Robinier faux-acacia	Black locust	Coccinelles
Rosmarinus officinalis	Romarin	Rosemary	Syrphes
Rudbeckia spp.	Rudbeckie	Gloriosa daisy	Syrphes
Ruta graveolens	Rue	Rue	Guêpes à papier, ichneumons
Salvia spp.	Sauge	Sage	Toutes sortes
Sedum spp. (*Hylotelephium* spp.)	Sédums	Stonecrop	Syrphes, guêpes parasitoïdes
Solidago spp.	Verge d'or	Goldenrod	Syrphes, mouches tachinides, punaises nabides, carabes, punaises géocorines, coccinelles, araignées, guêpes parasitoïdes, mouches dolichopodes, punaises assassines
Stachys spp.	Épiaire	Stachys	Syrphes
Symphoricarpos spp.	Symphorine	Snowberry Syrphes,	Mouches tachinides
Tagetes spp.	Tagètes	Marigold	Mouches tachinides, coccinelles, guêpes parasitoïdes

Tanacetum vulgare	Tanaisie	Tansy	Chrysopes, coccinelles, guêpes parasitoïdes, punaises anthocorides, mouches tachinides, chrysopes
Taraxacum officinale	Pissenlit	Dandelion	Chrysopes, coccinelles
Thymus spp.	Thym	Thyme	Toutes sortes
Trifolium incarnatum	Trèfle rouge	Crimson clover	Minute punaises anthocorides, punaises géocorines, coccinelles
Trifolium repens	Trèfle blanc	White clover	Guêpes parasitoïdes
Verbena spp.	Verveine	Verbena	Toutes sortes
Veronica spicata	Véronique	Speedwell	Syrphes, coccinelles
Zinnia elegans	Zinnia	Zinnia	Guêpes parasitoïdes, syrphes

Voyez aussi les 2 excellents livres de Jean-Denis Brisson et autres :
Les insectes prédateurs : des alliés dans nos jardins
et *Les insectes pollinisateurs : des alliés à protéger*, (voyez la bibliographie)
qui seront réédités sous peu aux Éditions Pratico Pratique.

GLOSSAIRE

Acarien : organisme apparenté aux araignées, mais de taille beaucoup plus petite.

Amendement : matière fertilisante organique ou minérale appliquée à un sol dans le but d'en améliorer les propriétés physiques, biologiques ou chimiques.

Antigerminatif : se dit d'une substance ou d'une préparation qui inhibe le développement des semences.

Apode : adjectif, qui signifie « sans pattes », donné à divers animaux caractérisés par l'absence de pattes.

Arthropode : embranchement d'invertébrés comprenant des animaux dont le corps recouvert de chitine est formé de pièces articulées. Les insectes et les crustacés sont des arthropodes.

Asticot : larve des mouches.

Basalte : roche éruptive dont la masse compacte et noire est formée de microlithes avec de grands cristaux de feldspath et d'olivine.

Biodiversité : le nombre, la diversité des espèces et la variabilité génétique des organismes à l'intérieur d'une zone spécifique.

Biosolides : boues d'égouts, de papetières ou autres résidus industriels organiques.

BRF (Bois Raméal Fragmenté) : bois déchiqueté des rameaux, ou branches, de moins de 7 cm de diamètre. Extrêmement riche en éléments nutritifs, il améliore le sol et attire les organismes décomposeurs.

Charge corporelle : quantité totale d'un produit spécifié, présente dans le corps d'un homme ou d'un animal.

Coléoptère : ordre d'insectes à élytres cornés, à antennes et à pièces buccales broyeuses.

Complexe argilo-humique : l'ensemble des substances du sol constituées par l'association des molécules organiques humifiées et des argiles qui lient les autres particules du sol.

Compagnonnage : association de plantes qui se protègent mutuellement.

Cuticule : membrane externe de certains animaux (insectes), qui contient de la chitine.

Diurétique : qui augmente la sécrétion urinaire.

Écosystème : système fonctionnel de relations interdépendantes et complémentaires entre les organismes vivants et leur environnement.

Élytre : aile dure et cornée des insectes coléoptères, qui recouvre l'aile inférieure à la façon d'un étui.

Entomologiste : spécialiste qui étudie les insectes.

Fongicide : pesticide qui détruit les champignons.

Fongique : relatif à, ou causé par des champignons, maladie fongique.

Fumagine : ensemble de champignons noirs qui se développent sur le miellat.

Galle : protubérance produite sur les plantes par un parasite.

Glaiseux : se dit d'un sol riche en argile (sol compact et imperméable).

Herbicide : pesticide qui détruit les mauvaises herbes.

Indigène : se dit d'une espèce végétale ou animale qui est originaire du lieu de croissance et de reproduction où elle vit.

Insecticide : pesticide qui détruit les insectes.

Larve : forme embryonnaire que prennent certains animaux, tels que les insectes, avant d'atteindre l'âge adulte.

Ligneux : qui a la consistance du bois.

Mandibules : pièces buccales de certains insectes et crustacés, qui leur servent à saisir et broyer la nourriture.

Métabolite : produit intermédiaire formé au cours de la dégradation d'un autre produit.

Métamorphose : changement total de forme et de structure que subissent certaines espèces animales (insectes, etc.) au cours de leur développement, avant d'arriver à la forme adulte.

Métamorphose complète : la larve issue de l'œuf possède une forme et un mode de vie très différent de ceux de l'adulte (ex : chenille et papillon).

Métamorphose incomplète : la larve issue de l'œuf ressemble un peu à l'insecte adulte, et son mode de vie est identique (ex : punaises).

Myriapode : classe d'arthropodes terrestres dont le corps est formé d'anneaux portant chacun une ou deux paires de pattes. Les mille-pattes et les centipèdes sont des myriapodes.

Miellat : excrétion sucrée d'insectes parasites (pucerons, etc).

Mue : phénomène indispensable à la croissance de certains insectes qui grandissent en changeant de peau.

Nectar : liquide sucré que sécrètent certaines fleurs.

Nouaison : phase végétative des arbres fruitiers durant laquelle l'ovaire de la fleur grossit et finit par former le fruit.

Nymphe : chez les insectes à métamorphose complète, stade de développement qui a lieu entre le dernier stade larvaire et le stade adulte.

Omnivore : qui mange de tout.

Paillis : matériau répandu en couche à la surface du sol. Généralement riche en carbone, il protège les plantes des écarts de température, retient l'humidité, prévient l'apparition des mauvaises herbes et l'érosion.

Parasite : organisme qui vit au dépend d'un autre.

Parasitoïde : organisme qui complète son développement sur ou à l'intérieur du corps d'un hôte (exemple insecte), en le tuant ultimement. Plusieurs parasitoïdes vivent aux dépend d'organismes nuisibles.

Pesticide : substance, matière ou micro-organisme destiné à contrôler, détruire, amoindrir, attirer ou repousser, directement ou indirectement, un organisme nuisible, nocif ou gênant.

Pétiole : partie de la plante unissant la feuille à la tige.

Phloème : tissu vasculaire servant à la circulation de la sève descendante dans les plantes.

Phytophage : qui se nourrit de plantes.

Phytotoxique : se dit de substances organiques ou minérales nuisibles au développement et à la croissance des plantes.

Plante herbacée : plante non ligneuse qui a la souplesse de l'herbe.

Plante ligneuse : plante dont les tiges ont la consistance du bois.

Prédateur : animal qui se nourrit de proies, en général plus petites que lui. La coccinelle est un organisme prédateur : elle se nourrit de pucerons.

Pronotum : partie des insectes en avant des ailes et portant à son extrémité la tête.

Pupe : stade intermédiaire entre la larve et la nymphe.

Ravageur : qui détruit, ravage les cultures (certains insectes, rongeurs, oiseaux…)

Sarclage : opération consistant à enlever les mauvaises herbes avec un outil tel une binette.

Terrier : trou ou galerie que certains animaux creusent dans la terre et qui leur sert d'abri.

Topique : (médicament topique), qui agit à l'endroit où il est appliqué sur la peau ou une muqueuse (pommade, collyre, etc.).

Soffite : pièce métallique percée de trous de ventilation, située sous la saillie du toit.

Spore : corpuscule reproducteur non fécondé de certains végétaux (algues, bactéries, champignons microscopiques) et protozoaires, qui assure la dissémination de l'espèce.

Viral : qui se rapporte à un virus.

Vivace : se dit d'une plante herbacée qui persiste plusieurs années.

Vivrière : culture dont les produits sont destinés à l'alimentation.

Xéropaysage : aménagement paysager conçu de façon à favoriser une consommation d'eau et un entretien réduits.

Zone de rusticité : zone représentée par un chiffre (1 à 5 au Québec) qui indique le degré de tolérance au froid pour une plante donnée.

BIBLIOGRAPHIE

Bérard, A., Boulé, J. et Marcil, J.J. *Guide de protection et d'entretien écologique des pommiers et autres arbres fruitiers.* RJÉ, 1991. Disponible au (450) 372-9962

Bérubé. C. et al. *Potions magiques.* Collection Terre à terre, 2001, 50 p.

Bourassa, J.P. Le moustique. Boréal, 2000.

Borror, D. J., Triplehorn, C. A. and Johnson, N. F. 1989. *Introduction to the study of insects.* Sixth edition. Saunders College Publishing, Montreal.

Brisson, J.D. et al. *Les insectes prédateurs : des alliés dans nos jardins.* Éditions Versicolores, 1992, 44 pages.

Brisson, J.D. et al. *Les insectes pollinisateurs : des alliés à protéger.* Éditions Versicolores, 1994, 44 pages.

Brisson, J.D. et Côté, I. *Plantes ornementales en santé.* Spécialités Terre à terre, 1992, 100 pages.

Carr, A. *Color Handbook of garden insects.* Rodale Press, Emmaus, PA 1979, 241 p.

Crevier, H. et Goulet, A.-M. *La petite herbe à poux, cahier d'animation.* Régie régionale de la santé et des services sociaux. 1998.

Crevier, H. *L'herbe à la puce, cahier d'animation.* Régie régionale de la santé et des services sociaux. 1998.

Desroches, J.F et Rodrigue, D. *Amphibiens et reptiles du Québec et des maritimes.* Éditions Michel Quintin, 2004, 288p.

Dethier, Luc et al. *Utilisation des pesticides en milieu agricole. Guide d'apprentissage.* SOFAD. 2003.

Dubuc, Yves. *Les insectes du Québec, guide d'identification.*
Broquet inc., 2005, 400 p.

Editors of Rodale organic gardening magazine and books.
Pests. Rodale 2001, 106 p.

Ellis, Barbara E. and Bradley Fern Marshall. *The organic gardener's handbook of natural insect and disease control.* Rodale Press, 1996, 534 p.

Gilkeson, L., Peiree, P., Smith, M., *Rodale's Pest & Disease problem solver.* Landsdowne publishing & Rodale Press, 1996, 384 p.

Gilkeson, Linda A. & R.W. Adams. *IMP manual for landscape pests in BC.*
Texte disponible sur internet:
http://www.elp.gov.bc.ca/epd/epdpa/ipmp/ipm-manuals.htm

Greenwood, P., Halstead, A., Chase, A. R., Gilrein, D. 2000.
Pest and diseases. American Horticultural Society. Dorling Kindersley, Publishing Inc, New York.

Hodgson, L. et Adam, J. 2003. *Aménagement paysager pour le Québec: techniques pratiques pour le jardinier.* Broquet Inc, Saint-Constant.

Hodgson, L. 2002. *Les arbustes.* Broquet Inc, Saint-Constant.

Leslie, A. R. *Integrated pest Management for Turf and Ornamentals.*
Lewis Publishers, Washington, D.C. 1994, 660 p.

Paquin et Duperré – *Les Araignées du Québec* – AEAQ, 2002.

Prescott, J. et Richard, P. *Mammifères du Québec et de l'est du Canada.*
Michel Quintin, 1996, 399 p.

Time-Life Books Editors. *Pests & Diseases.* Time-Life Books,
Alexandria, Virginia, 1995, 152 p.

RESSOURCES

AIDE TECHNIQUE/ EXPERTISE/ CONSULTANTS AU QUÉBEC
Agri-réseau : http://www.agrireseau.qc.ca
Coalition pour les Alternatives aux Pesticides (CAP) :
  (514) 875-5995 http://www.cap-quebec.com
Dr Bibitte : (514) 422-8457 http://www.ecobugdoctor.com/
Insectarium de Montréal : (514) 872-1400
  http://www.ville.montreal.qc.ca/insectarium
Jardin botanique de Montréal : (514) 872-3765
  http://www.ville.montreal.qc.ca/jardin
Pelouses saines : http://www.healthylawns.net/
Phyto ressources : http://www.phyto.qc.ca/
Verterra : (514) 996-3848

COMPOST/ ENGRAIS NATURELS

Aquabiokem : (418) 723-1986   http://www.dal.ca/cift
Acti-sol (l'engrais mère-poule) : (819) 224-4147
  http://www.acti-sol.ca
Distrival (algues marines Acadie) : 1 800 881-9297
  http://www.distrival.qc.ca
Fafard : (819) 396-2293 http://www.fafard.qc.ca
Fertilec : 1 (888) 831-1085 http://www.fertilec.com
Les composts du Québec : (418) 882-2736 1 800 463-1030
  http://www.composts.com
Les Engrais Naturels McInnes : (819) 876-7555
  http://www.biobiz.ca
Myke-Pro : (mycorhizes) 1 800 606-6926 http://www.usemyke.com
Nutrite : (450) 462-2555 http://www.nutrite.com
Pursell Vigoro Canada (Canagro) : 1-800-268-2076
  http://www.jardinage.net/pro/html/pursell_vigoro-qui.html
Terratonic : (819) 868-1225

ÉQUIPEMENTS

Aquacide : (pulvérisateur de vapeur d'eau bouillante)
  http://www.smithco.com/aquacide.htm, distribué par OJ
  équipements (514) 990-2050
Gazon écologique : (épandeur à compost motorisé) (819) 820-9300
  http://pages.globetrotter.net/gazoneco/
Hound-dog : (arrache-pissenlits Weed Hound) http://www.hound
  dog.com/products.htm (disponible dans plusieurs jardineries)
Lee Valley (torche au propane et autres) : 1 800 267-8767
  http://www.leevalley.com

LIBRAIRIES SPÉCIALISÉES SUR LES ALTERNATIVES

Agri-info: (819) 358-6038   http://www.agri-info.qc.ca
Biosfaire: (514) 985-2467   http://www.biosfaire.com

ORGANISMES/ INSTITUTIONS/

Agriculture & food, Ontario:
   http://www.gov.on.ca/OMAFRA/english/crops/facts/97-023.htm
Agence de réglementation de la lutte antiparasitaire (ARLA):
   1 800 267-6315 http://www.pmra-arla.gc.ca
Cornell University, Biological control:
   http://www.nysaes.cornell.edu/ent/biocontrol/
Eco-route: http://ecoroute.uqcn.qc.ca/
Foundation for sustainable agriculture: http://www.syngenta.com
Météomédia: http://www.meteomedia.com
Ministère de l'Environnement du Québec: (Code de gestion des
   pesticides) http://www.menv.gouv.qc.ca/pesticides/permis/code
   gestion/code-enbref.htm
Nature Action Québec (NAQ): (450) 441-3899
   http://www.nature-action.qc.ca
Naturescape: http://www.hctf.ca/naturescape/principles.htm
Ohio State University: http://ohioline.osu.edu/hyg-fact/2000/2510.html
Ontario College of Family Physicians: http://www.ocfp.on.ca/
English/OCFP/Communications/CurrentIssues/Pesticides/default.asp?s=1
Pesticide Action Network North America (PANNA): http://www.
   panna.org/campaigns/docsTrespass/chemicalTrespass2004.dv.html
Ressources naturelles, faune et parcs: http://www.fapaq.gouv.qc.ca
Santé Canada: http://www.hc-sc.gc.ca
Virus du Nil: 1 800 363-1363   http://www.virusdunil.com/

PESTICIDES À FAIBLE IMPACT/ PRÉDATEURS

Koppert: (819) 693-8265   http://www.koppert.nl
Natural Insect Control (NIC): (905) 382-2904
   http://www.natural-insect-control.com
Plant-Prod: 1 800 361-9184
Safer: (514) 824-9490   http://www.safer-fr.com

SEMENCES

Gloco: 1 800 664-5620   (514) 322-1620 http://www.gloco.ca
Indigo: (fleurs sauvages) (819) 826-3314
   http://www.horticulture-indigo.com/
Labon-Distribution: (450) 641-1050   http://www.labon.net
Pickseed: (450) 799-4586   http://www.pickseed.com/

INDEX

REMERCIEMENTS

Ce livre a pu être réalisé grâce à la contribution financière de Santé Canada (programme d'action communautaire/ PAC), la fondation EJLB, le Ministère de l'Emploi et de la Solidarité sociale et Nature-Action Québec inc.

De nombreuses personnes ont collaboré à ce livre d'une façon ou d'une autre. Nous voudrions remercier de façon particulière Rob Adams, Ministry of Water, Land and Air Protection, BC ; Stéphanie Bisson, du service de l'environnement de la ville de Boisbriand ; Marie-Claude Blanchette biologiste et éco-conseillère à la ville de Longueuil ; Jean-Pierre Bourrassa de L'UQTR ; Jean-Denis Brisson, entomologiste de la FAPAQ ; Isabelle Gorse, du ministère de l'Environnement du Québec ; Anne-Marie Goulet, biologiste au service de l'environnement à la ville de Longueuil ; Pierre-Paul Harper, entomologiste et professeur à l'Université de Montréal ; Audrey Lachance, éco-conseillère à Shawinigan ; Lili Michaud, agronome ; Peterjurgen Neumann, mycologue et professeur à l'Université de Montréal ; Marie-Josée Perron, responsable du règlement sur les pesticides pour la ville de Vaudreuil et Michel Sarrazin, arboriculteur.

Nos remerciements vont aussi à Mélissa Hotte et Sylvie Thorn, biologistes, ainsi qu'à Suzanne Chalifoux, conseillères pour la « ligne verte », qui ont consigné depuis plusieurs années toutes les questions les plus fréquentes. La révision des textes a été faite par Eve de Lamirande, Christian Smeesters et Marcel Broquet qui méritent toute notre reconnaissance.

Finalement, nous tenons à remercier notre éditeur, Antoine Broquet, qui nous permet de réaliser un produit de haute qualité pour le plus grand plaisir des lecteurs, avec le support de graphistes de grand talent comme Brigit Lévesque.

Crédits photos

Les auteurs des photos sont mentionnés à côté de chaque image. Un grand merci tout spécial à Louise Tanguay, pour ses magnifiques photos artistiques.

Merci aussi aux personnes suivantes pour leur patiente recherche de photos : Marc Lajoie du MAPAQ ; Jean-Denis Brisson de la FAPAQ ; André Payette de l'Insectarium de Montréal ; Benoît Arsenault et Carole Germain, du Service canadien des forêts, Centre de foresterie des Laurentides.

Nous avons besoin de vous!

Devenez membre de
La Coalition pour les Alternatives aux Pesticides (CAP)

LA CAP EST UN ORGANISME À BUT NON LUCRATIF CRÉÉ EN DÉCEMBRE 1999 par un groupe de personnes affectées de près ou de loin par l'usage des pesticides dans leur milieu. Depuis sa création, la CAP a distribué plus de 25 000 trousses d'action, avec l'aide d'une quarantaine d'organismes partenaires à travers la province, et a contribué à la mise en place d'un Code de gestion des pesticides par le gouvernement du Québec.

> **La mission de la Coalition pour les Alternatives aux Pesticides (CAP) est de susciter une remise en question de l'utilisation courante des pesticides en diffusant toute information pertinente sur les pesticides et les solutions de rechange.**

Le Code de gestion des pesticides ne règle pas complètement le problème des pesticides au Québec, loin de là. En fait, seulement 22 produits actifs (pesticides) sont maintenant interdits et seulement sur les pelouses publiques (sur les pelouses privées en 2006). Il reste donc beaucoup de travail à faire pour pouvoir respirer de l'air pur dans nos espaces verts!

Afin de poursuivre sa mission, la CAP a besoin de votre support. Joignez vous à la Coalition et faites adhérer un ami ou un voisin! Les dons de plus de 10 $ sont les bienvenus également, de même que toute autre contribution ou service (écriture, traduction, présence dans des kiosques, démarches politiques ou autres.).

Photocopiez cette partie et renvoyez-la nous

Formulaire d'adhésion

Nom : _____

Adresse : _____

_____

Ville : _____ Code Postal : _____

Tél. rés. : _____ Tél. bur. : _____

Télécopieur : _____ Profession : _____

Courriel : _____

Cotisation : ☐ 10 $ membre individuel   ☐ reçu demandé

☐ 25 $ organisme *(Nombre de membres dans votre organisme : _____)*

Don : ☐ 20 $ ☐ 50 $ ☐ autre (_____)

Langue de correspondance :   ☐ français ☐ anglais

☐ Mettez moi sur le groupe de discussion caponline

Libellez votre chèque au nom de : **Coalition pour les Alternatives aux Pesticides (CAP)**
460, rue Sainte Catherine ouest bureau 937, Montréal, H3B 1A7.
Téléphone : (514) 875-5995. Site internet : www.cap-quebec.com